Orbis

Canon triplex a 6 V
J. S. Bach

INHALT

BACH UND DIE BACH-FAMILIE

Johann Sebastian Bach entstammte einem Geschlecht begabter Musiker; mit seinem Können übertraf er sie jedoch alle.

Erstaunlich ist nicht, daß Johann Sebastian Bach Musiker wurde, sondern lediglich, daß er in den Rang eines genialen Komponisten aufstieg. Er kam aus einer Musikerfamilie; man nimmt an, daß vom 16. bis Mitte des 19. Jahrhunderts insgesamt 75 Bachs ihren Lebensunterhalt zumindest teilweise mit Musik verdienten. Meistens waren sie allerdings unbedeutende Geiger in Stadtkapellen, Organisten, Chorleiter oder Kantoren. Ein halbes Dutzend von ihnen brachte es zu mehr als bloß lokaler Berühmtheit, aber nur Sebastian zeichnete sich als schöpferisches Genie aus.

Er wurde am 21. März 1685 im thüringischen Eisenach geboren. Zwei Tage später stand im städtischen Kirchenbuch: »Herrn Johann Ambrosius Bach, Stadtmusiker, ein Sohn ... Joh. Sebastian.« Thüringen, eine hügelige, waldreiche Region, liegt zwischen Bayern und dem Harz und ist heute eines der neuen Bundesländer. Im 17. Jahrhundert waren Gotha, Weimar, Erfurt, Jena und Eisenach dort die wichtigsten Städte, und die Hauptstraßen, die vom Westen nach Leipzig,

Links: *Johann Ambrosius Bach (1645–95), Vater von Sebastian.*

Gegenüber: *Johann Sebastian Bach mit 30: ein nicht als echt verbürgtes Porträt von J. E. Rentsch.*

Warschau, Prag und Budapest im Osten und von Hamburg im Norden nach Nürnberg, München und Italien im Süden führten, verliefen mitten durchs Land.

EISENACH

In Eisenach, Bachs Geburtsort, suchte bekanntlich auch Martin Luther Zuflucht, als er vom Reichstag zu Worms in Acht und Bann getan wurde. Der große Reformator versteckte sich auf der Wartburg, die auf einem Hügel oberhalb Eisenachs liegt, und beschäftigte sich dort mit der Übersetzung des Neuen Testaments und dem Verfassen von Kirchenliedern.

Johann Ambrosius Bach (1645–95) war Pfeifer beim Herzog von Eisenach und Leiter der Stadtmusiker. Deutschland bestand damals noch aus zahlreichen Kleinstaaten, Herzog- und Fürstentümern und freien Städten: jeder Herrscher benötigte seine eigenen Musiker, jede Stadt ihre Kapelle oder ihr Orchester, das in der größten Kirche des Ortes und bei öffentlichen Ereignissen für Musik sorgte, und auch die Kirchen selbst stellten Organisten, Kantoren und Chorleiter ein.

Johann Ambrosius, der hauptsächlich Geige spielte, trat als Komponist nicht hervor. 1668 heiratete er Maria Elisabeth Lämmerhirt, die Tochter eines Ratsherrn in Erfurt, wo er zu der Zeit Stadtmusiker war. Sebastian war ihr achtes und jüngstes Kind; vier seiner Geschwister starben früh.

Vielleicht erlernte der kleine Junge das Fiedeln von seinem Vater, dem Stadtmusiker, während der erste Kontakt mit der Orgel möglicherweise durch seinen Cousin zweiten Grades, Johann Christoph Bach, zustandekam, der 1642–95 Organist an der Eisenacher St.-Georgs-Kirche und Organist und Cemba-

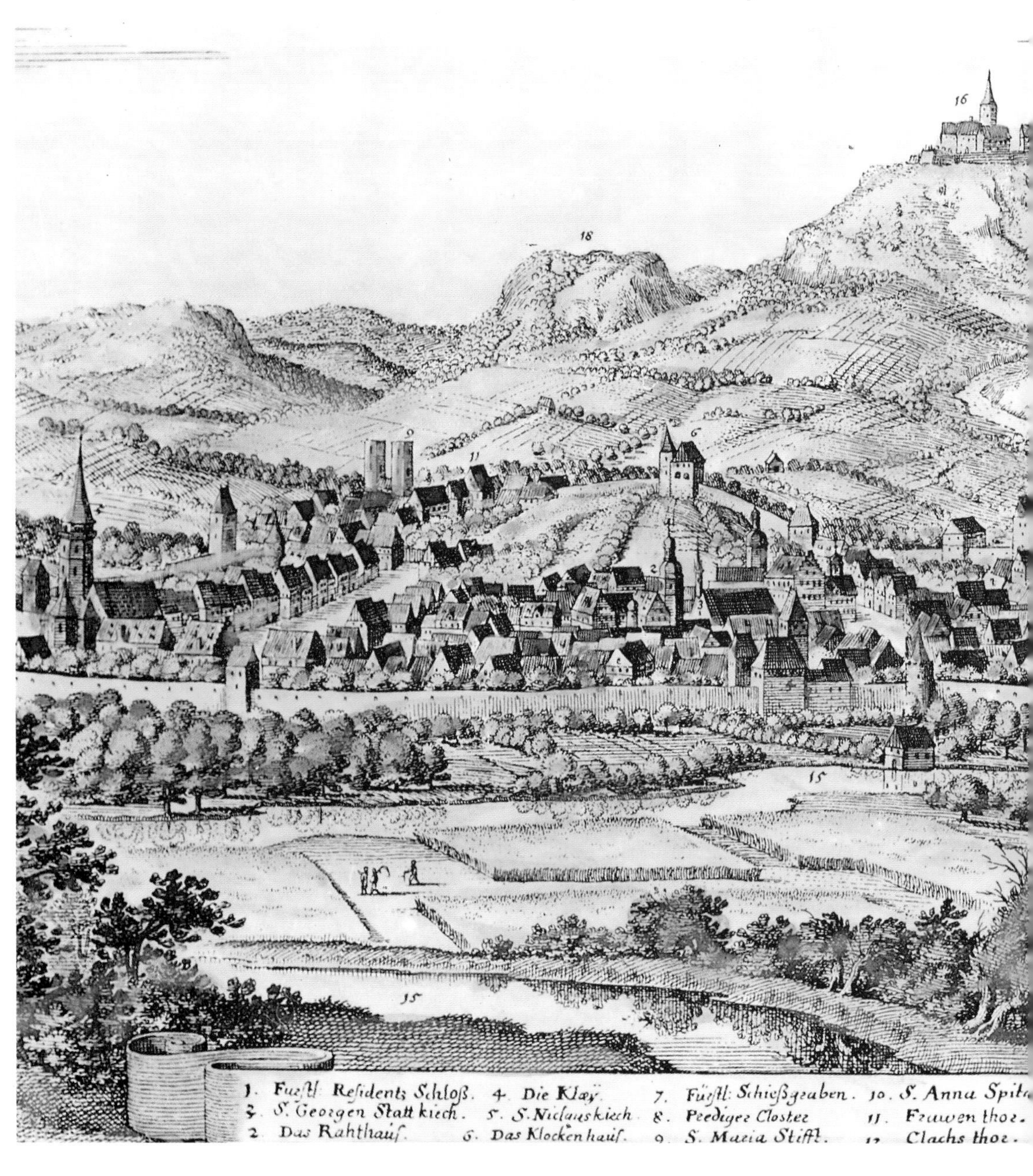

Bachs Geburtsort: die thüringische Stadt Eisenach im Südwesten der ehemaligen DDR auf einem Stich aus dem 17. Jahrhundert.

Links: *Die Wartburg oberhalb Eisenachs, wo Martin Luther* (unten) *sich während einer gefährlichen Phase der Reformation versteckt hielt.*

Rechts: *Innenansicht der Bach'schen Wohnung in Eisenach.*

Unten: *Die Eingangstür zum Haus der Familie Bach.*

Ein Schlafzimmer der Bach'schen Wohnung in Eisenach.

list des Herzogs von Eisenach war. Schon früh war Sebastian bewußt, daß er in eine Musikerfamilie hineingeboren worden war, deren Stammbaum er später auch aufzeichnete und dabei auf frühere Generationen musikalischer Bachs stieß.

Mit etwa acht Jahren trat Sebastian in die Eisenacher Lateinschule (Martin Luthers alte Schule) ein, die bereits etliche andere Bachs vor ihm besucht hatten. Der Unterricht dauerte von sieben bis neun Uhr morgens und von ein bis drei Uhr am Nachmittag, im Winter vormittags eine Stunde länger. Lehrfächer waren Latein, deutsche Grammatik, Arithmetik, Logik, der Katechismus und die Heilige Schrift. Außerdem sang der Junge im Kirchenchor von St. Georg, wo ihm eine »ungemein schöne Sopranstimme« bescheinigt wurde.

OHRDRUF

Im Mai 1694 starb Sebastians Mutter; im Januar 1695, weniger als ein Jahr darauf und nur drei Monate nach seiner Wiederverheiratung, folgte ihr sein Vater. Seine neue Frau, Barbara Margaretha, wurde damit zum drittenmal Witwe. Sebastian war erst zehn Jahre alt. In einer Gesellschaft mit hoher Sterblichkeitsrate kamen jedoch häufig andere Familienmitglieder Waisen zu Hilfe. In diesem Fall wurden Sebastian und sein dreizehnjähriger Bruder Johann Jakob nach Ohrdruf, knapp 50 Kilometer südöstlich von Eisenach gelegen, zu ihrem ältesten Bruder Christoph geschickt, der schon, als Sebastian kaum ein Jahr alt war, das Haus verlassen hatte. Johann Christoph Bach (1671–1721), jetzt 23, frisch verheiratet und Organist an der

Ansicht von Ohrdruf, wo Bach bei seinem Bruder Johann Christian lebte.

Ohrdrufer St.-Michaels-Kirche, hatte in Erfurt bei dem hervorragenden Organisten und Komponisten Johann Pachelbel (1653–1706) Orgel und Cembalo studiert.

In Ohrdruf begann nun Sebastian, wahrscheinlich unter der Aufsicht seines Bruders Christoph, Orgel zu spielen. Als in der Kirche eine neue Orgel installiert wurde, erlaubte ihm Christoph, beim Einbau dabeizusein. Er ermutigte ihn auch, Komposition zu studieren; obgleich selbst kein Komponist, ließ er Sebastian musikalische Werke deutscher Organisten/Komponisten, etwa von Jakob Froberger, Johann Caspar Kerll und Pachelbel, kopieren. (Einer nicht unbedingt glaubhaften Anekdote zufolge bestrafte Christoph seinen jungen Bruder, als er entdeckte, daß dieser bei Mondlicht eine verbotene Partitur abgeschrieben hatte. Wir wissen nicht genug über den Vorfall, um die Behauptung, Christoph sei sehr hart gewesen, zu glauben.)

Sebastian trug zu seinem Unterhalt bei, indem er sich als Sänger im Ohrdrufer Chorus Musicus, der rund 20 Mitglieder hatte, etwas Geld verdiente. Er besuchte jetzt die Lateinschule von Ohrdruf, wo er ein recht guter Schüler war. Der tägliche Unterricht in Religion, Latein und Deutsch wurde viermal wöchentlich durch das Studium der Musik beim Kantor Johann Heinrich Arnold ergänzt, der in den Annalen der Schule als Gefahr für die Schule, Skandal für die Kirche und Krebsgeschwür der Gemeinde beschrieben wird. Die Position des Kantors – die Sebastian selbst später in Leipzig bekleiden sollte – war eine Kombination aus Lehrer und Organisator der musikalischen Aktivitäten der Stadt und unter Umständen sehr vielfältig.

Rechts: *Das Innere der Lüneburger Michaeliskirche, wo Sebastian als Knabe im Chor mitsang.*

LÜNEBURG

Zum Glück wurde Arnold schließlich entlassen und durch den weniger schrecklichen Elias Herda ersetzt, einen jungen Mann von 24, der gerade sein Theologiestudium an der Jenaer Universität abgeschlossen hatte. Herda verschaffte Sebastian und seinem Mitschüler Georg Erdmann einen Platz an seiner *alma mater*, der Michaelis-Freischule im über 300 Kilometer entfernten norddeutschen Lüneburg. Vermutlich machte die wachsende Familie Christophs den Auszug von Sebastian notwendig, für den nun wohl die Räumlichkeiten oder die finanziellen Mittel nicht mehr ausreichten.

In Lüneburg bekam Sebastian als Sopran im Mettenchor – einer ausgewählten Gruppe von 12 bis 15 Stimmen innerhalb des größeren Kirchenchors – ein bescheidenes Gehalt von zwölf Groschen monatlich. Kost und Logis sowie Unterricht erhielt er als Freischüler gratis. Einladungen, bei Hochzeiten, Beerdigungen und sonstigen Anlässen zu singen, waren immer willkommen, da sie seine Einkünfte zusätzlich aufbesserten.

Die Michaeliskirche hatte eine ausgeprägte musikalische Tradition; es gab eine ansehnli-

che Musikbibliothek, mit deren Aufbau der erste protestantische Kantor begonnen hatte und die seither ständig erweitert worden war. Sie spielte zweifellos eine wichtige Rolle für Sebastian, ebenso wie die Begegnung mit einem thüringischen Landsmann, Georg Böhm (1661–1733), der Organist an der Johanniskirche zu Lüneburg war. Es wird behauptet, daß Bachs erste Orgelkompositionen von Böhm beeinflußt sind. (Ein Menuett von Böhm wurde später in das *Clavierbüchlein* für Anna Magdalena Bach aufgenommen.)

Böhm selbst war musikalisch seinem Lehrer verpflichtet, dem bekannten Organisten Johann Adam Reincken (1623–1722), der, obwohl schon hoch in den Siebzigern, immer noch regelmäßig in der Hamburger Katharinenkirche spielte. Mindestens einmal ging Bach die fast 50 Kilometer von Lüneburg nach Hamburg, um Reincken dort zuzuhören. Er interessierte sich wahrscheinlich mehr für die Spielweise des Meisters als für seine Kompositionen, denn er arbeitete bereits an den Grundlagen für seine eigene großartige Orgeltechnik. Die Orgel in der Katharinenkirche hatte 51 Register, hervorragende Pfeifen und ein schönes 32-Fuß-Prinzipal, mehr, als Bach in seiner gesamten Laufbahn je zur Verfügung stehen sollten.

Während seines Aufenthalts in Lüneburg nahm Sebastian auch die Gelegenheit war, zeitgenössische französische Musik zu hören. Der Herzog von Braunschweig-Lüneburg beschäftigte in Celle den Franzosen Thomas de la Selle, der versuchte, die damals modernen Klänge des französischen Hoforchesters mit einer sechzehnköpfigen Kapelle nachzuahmen, in der nur zwei Deutsche mitspielten. Bach besuchte das rund 80 Kilometer südlich von Lüneburg gelegene Celle, lernte dort französische Lebensart kennen und hörte Musik von französischen Komponisten wie Lully,

Johann Reincken (1623–1722), der berühmte Hamburger Organist.

Rechts: *Die aus dem 18. Jahrhundert stammende Orgel in Michaelsberg.*

Unten: *Eine Skizze von Fragonard von musizierenden Adligen des 18. Jahrhunderts.*

Das Celler Schloß, wo der Herzog von Braunschweig-Lüneburg in Musik und Lebensart den Franzosen nacheiferte.

Colasse und Destouches. Offenbar war er beeindruckt, denn sein Sohn Carl Philipp Emanuel und sein Schüler Lorenz Mizler erinnern sich in ihren Memoiren an Bachs Anekdoten über den Hof in Celle. Außerdem wissen wir, daß er französische Partituren, etwa von Nicolas de Grigny und Charles Dieupart, kopierte. Ihre Welt war eine ganz andere als die der thüringischen Lateinschulen.

RÜCKKEHR NACH THÜRINGEN

Sebastian blieb drei Jahre als Freischüler an der Michaelisschule, vermutlich bis zum Stimmbruch. Nach den reizvollen und neuartigen Erfahrungen, die er im Norden gemacht hatte, kehrte er mit 18 Jahren und ohne Aussicht auf weitere Ausbildung nach Thüringen zurück. Als er von einem freien Posten als Organist in Sangerhausen bei Halle hörte, bewarb er sich dort. Obgleich die Vertreter der Kirche ihn für den besten Kandidaten hielten, wurden sie von dem örtlichen Fürsten, Johann Georg Herzog von Sachsen-Weißenfels, überstimmt, der den älteren Johann Augustin Kobelius bevorzugte, dessen Urgroßvater Hoforganist in Weißenfels gewesen war.

Scheinbar fühlte sich der Herzog dem jungen Bach nach dieser Enttäuschung irgendwie verpflichtet und vereinbarte daher seine Anstellung als »Lakai und Violinist« am Hofe von Johann Ernst, dem jüngeren Bruder des regierenden Herzogs von Weimar. Für kurze Zeit spielte Sebastian nun in dem kleinen Hoforchester von Weimar die Geige und assistierte dem alternden Hoforganisten Johann Effler, einem Freund der Familie Bach.

Eigentlich hatte er jedoch eine Organistenstelle in Arnstadt im Auge, wo 1581 die alte Bonifatiuskirche abgebrannt und hundert Jahre später die sogenannte Neue Kirche wieder aufgebaut worden war. 20 Jahre nach Fertigstellung des Gebäudes war die neue Orgel aber immer noch nicht betriebsbereit, so daß man bisher keinen Organisten benötigt hatte. Als sie nun endlich in Gebrauch genommen werden konnte, bekam Bach die Chance, auf die er gewartet hatte: der Bürgermeister von Arnstadt, ein entfernter Verwandter, überredete den Rat, am 13. Juli 1703 »Herrn Johann Sebastian Bach« zu einer Inspektion der neuen Orgel in der Neuen Kirche einzuladen. Der junge Bach schien sich bereits einen Ruf als Experte im Stimmen und für die Mechanik von Orgeln erworben zu haben. Das Instrument in Arnstadt, das zwei Manuale und 23 Register aufwies, war von Johann Friedrich Wender aus Mühlhausen gebaut worden; als

Teil seiner Inspektion gab Sebastian ein Konzert, das nicht nur ihn von der Qualität der Orgel, sondern auch den Rat von seiner Fähigkeit als Organist überzeugte.

Bach wurde sofort eingestellt, und laut Bestallungsurkunde sollte er sich »an denen Sonn- und Fest- auch andern zum öffentlichen Gottes dienst bestimbten Tagen ... in obbesagter Neüen Kirche ... einfinden«, die Orgel »gebührend tractiren« und auf sie »gute Acht haben«. Er hätte rechtzeitig Bescheid zu geben, wenn Schwächen aufträten, um die notwendigen Reparaturen zu veranlassen, ohne Wissen des Superintendenten niemandem Zugang zu ihr zu erlauben, generell dafür zu sorgen, daß Schaden vermieden würde und alles in gutem Zustand bliebe. Außerdem mußte er sich verpflichten, »Euch denn auch sonst in Eurem Leben und wandel der Gottesfurcht, Nüchterheit und verträglichkeit zubefleißigen, böser Gesellschaft und Abhaltung Eures beruffs Euch gäntzlich zu enthalten,

Die Orgel der Neuen Kirche von Arnstadt, um deren Inspektion Bach 1703 gebeten wurde.

Das Innere der Neuen Kirche in Arnstadt. Nach der Orgelprüfung wurde Bach hier als Organist eingestellt.

und ... gegen Gott, die Hohe Obrigkeit und vorgesetzten ... treulich zuverhalten«.

Bachs Pflichten waren jedoch keineswegs beschwerlich. Er mußte jeden Sonntagmorgen sowie beim Fürbittgottesdienst am Montag und am Dienstag Präludien und Kirchenlieder auf der Orgel spielen, war aber kein Chorleiter, wie er später seine Arbeitgeber erinnerte. Sein Vertrag verlangte nicht, daß er mit dem Chor probte oder ihn dirigierte, eine Aufgabe, an der er anscheinend nie Gefallen fand. In Arnstadt hatte er Zeit, Orgel zu üben und mit dem Komponieren zu beginnen.

Für seine Tätigkeit erhielt Bach ein mehr als

angemessenes Gehalt von 50 Gulden im Jahr sowie einen Zuschuß für Kost und Logis; als Achtzehnjähriger konnte er damit wohl zufrieden sein. In dieser potentiell vielversprechenden Position standen dem jungen Musiker jedoch drei turbulente Jahre in Arnstadt bevor. Das lag teilweise an seiner Unreife und

Der Spielschrank von Bachs Orgel in der Neuen Kirchen von Arnstadt.

seiner ungestümen Begeisterung für neue Musikstile, zum Teil aber auch an der Schwerfälligkeit der Arnstädter Autoritäten.

Eine der vielen Streitigkeiten mit seinen Vorgesetzten entzündete sich an einer Reise nach Lübeck, die Bach im Herbst 1705 unternahm. Er hatte die Erlaubnis zu einem einmonatigen Urlaub eingeholt, veranlaßt, daß sein Vetter Johann Ernst ihn vertrat, und sich dann auf den 400 Kilometer langen Weg nach Norden gemacht. Hauptanziehungspunkt war das Orgelspiel des großen Dietrich Buxtehude (1637–1707) in der Marienkirche. (Einige Autoren deuten an, Bach hätte den Ehrgeiz gehegt, dort Nachfolger des 68jährigen Meisters zu werden.) Vermutlich lockte ihn aber auch die einzigartige Reihe von »Abendmusiken«, die Buxtehude an den Adventssonntagen in der Marienkirche leitete und in denen rund 40 Instrumente eingesetzt wurden. Der musikalische Stil dieser Vespern beeinflußte Bach wahrscheinlich, als er später seine eige-

Die Lübecker Marienkirche, wo Bach den großen Organisten Dietrich Buxtehude spielen hörte.

nen Kantaten schrieb, obgleich die in Lübeck aufgeführten Werke nicht zur Liturgie gehörten und nicht einmal ausgesprochen religiös waren. Zweifellos war Bach tief beeindruckt von Buxtehudes Virtuosität an der herrlichen Lübecker Orgel: das reiche Volumen, das der Meister auf dem schönen Instrument mit den drei Manualen und 54 Registern erzielte, stand Bach auf den nicht so gut ausgestatteten Orgeln, zu denen er während seiner eigenen Laufbahn Zugang hatte, nie voll zur Verfügung.

Als er im Januar 1706 wieder in Arnstadt ankam, nachdem er unterwegs Reincken in Hamburg und Böhm in Lüneburg besucht hatte, empfing ihn hier eine andere, weniger erfreuliche Musik. Statt dem einen ihm zugebilligten Monat war er vier Monate weggewesen und lieferte seinen Dienstherrn dafür weder eine Entschuldigung noch eine Erklärung. (Im Sommer zuvor hatte man ihn bereits gerügt, weil er unfähig sei, mit seinen Schülern auszukommen und mit ihnen zu proben, sowie für seine ungehobelte Sprache bei einem Streit auf der Straße mit dem Fagottisten Johann Heinrich Geyersbach. Dieser Vorfall scheint typisch für Bachs unglückliche Beziehung zu den Chorknaben gewesen zu sein, die er seinen Vorgesetzten zufolge angeblich ausbilden sollte.) Überdies fand die Gemeinde von Arnstadt die Begleitmusik zu den Kirchenliedern allzu kunstvoll, bestimmte Ausschmückungen unannehmbar und die musikalischen Schnörkel, die Bachs Orgel entströmten, generell zu zahlreich.

Im Februar 1706 berief man Bach vor das Konsistorium und teilte ihm mit, es lägen Beschwerden gegen ihn vor, »daß er bißhero in den Choral viele wunderliche variationes gemachet, viele frembde Töne mit eingemischet, daß die Gemeinde darüber confundiret worden«. Außerdem bemängelte man, daß er sich nicht genügend mit den Schülern der höheren Schule beschäftigte – zu denen er wohl keine guten Beziehungen hätte –, und forderte ihn auf, ausdrücklich seine Bereitschaft zu versichern, mit ihnen das Singen von Kirchenliedern und das Spielen von Instrumenten zu proben. Da es sich die Stadt nicht leisten könnte, auch noch einen Kantor einzustellen, müßte man sich sonst nach einem anderen Organisten umsehen.

Diese offene Drohung konnte Bach kaum mißverstehen, obgleich in seinem Vertrag nicht explizit die Rede davon war, er hätte den Chor zu leiten. Es überrascht deshalb auch nicht, daß er schon bald wieder nach einer neuen Position Ausschau hielt. Mittlerweile konnte er den Arnstädtern anscheinend nichts mehr recht machen: hatte der Rat ihn zuvor wegen seiner zu langen und komplizierten Präludien gerügt, so fand man sie jetzt zu kurz – vielleicht ein Beispiel für Bachs oft trotzige Reaktion auf Kritik.

Im November 1706 wurde er erneut verwarnt. Wieder hieß es, der Organist Bach solle erklären, ob er willens sei, mit den Schüler zu musizieren oder nicht; falls er es nämlich nicht als Schande erachte, »bey der Kirchen zu seyn, vnd die Besoldung zu nehmen, müste er sich auch nicht schähmen mit den Schühlern so darzu bestellet so lange biß ein anderes verordnet, zu musiciren«. Wie man sieht, war die Kirchenbehörde der Ansicht, Bach käme seinen Pflichten nicht in vollem Umfang nach.

Dieser Verwarnung war eine weitere Beschwerde hinzugefügt: Bach hätte eine fremde Frau auf der Empore singen lassen. Die prompte Antwort Bachs darauf war: der Pfarrer sei über die Einladung informiert gewesen. Vermutlich war die fragliche Person seine Base Maria Barbara, die bald darauf seine Frau wurde. In jedem Fall aber sah sich der Kirchenrat von Arnstadt mit einem dickköpfigen, eigenwilligen jungen Organisten konfrontiert, der sein Geld anscheinend nicht wert war.

MÜHLHAUSEN

Obwohl sich die Streitigkeiten offenbar legten, war Bach unbeständig genug, sich nach einer neuen Position umzusehen. Der Tod von Johann Georg Ahle, Organist an St. Blasius in Mühlhausen, rund 55 Kilometer nordwestlich von Arnstadt, bot ihm die passende Gelegenheit. Am Ostersonntag 1707 gab er ein Vorstellungskonzert in der Blasiuskirche, die kathedralenartige Ausmaße hatte, und man offerierte ihm die Stelle. Er forderte dasselbe Gehalt, das er in Arnstadt bekam (20 Gulden mehr, als Ahle verdient hatte) sowie die traditionelle Bezahlung in Naturalien, die auch Ahle erhalten hatte – »3 Malter Korn, 2 Klafter Holz«, einmal Buche und einmal Eiche oder Espe, und »6 Schock reißig«, bis an die Tür zu liefern. Seine neuen Verpflichtungen in Mühlhausen übernahm Bach am 14. September, nachdem er seine Entlassung in Arnstadt, wo sein Vetter Johann Ernst sein Nachfolger wurde, erfolgreich geregelt hatte.

Nur einen Monat nach seiner Ankunft in Mühlhausen heiratete Bach am 17. Oktober 1707 Maria Barbara in dem nahegelegenen Dorf Dornheim. Sein Onkel Tobias Lämmerhirt hatte ihm im August ein beträchtliches Erbe hinterlassen, das ihm wahrscheinlich eine finanziell so solide Position verschaffte, daß er den Heiratsantrag mit gutem Gewissen wagen konnte. Maria Barbara war die Enkelin von Heinrich Bach (1615–92), der Organist in Arnstadt und der Onkel von Johann Ambrosius, Sebastians Vater, gewesen war.

Der Posten in Mühlhausen war ein Fortschritt gegenüber Arnstadt, und der neue Organist machte sich sogleich daran, mit seinem Schüler Johann Martin Schubart Partituren zu kopieren, den Gottesdienst zu begleiten und Musik für besondere Anlässe zu komponieren, etwa für die Amtseinsetzung des neuen Stadtrats im Februar 1708 – obwohl sein Vertrag nur das Orgelspiel beim Gottesdienst verlangte.

Abgesehen von ein oder zwei Jugendwerken trat Bach hier als Komponist zum erstenmal richtig in Erscheinung. Wir wissen von mindestens vier Stücken aus seiner Mühlhausener Zeit: dem bekannten Osterlied *Christ lag in Todesbanden*, der Ratswechselkantate *Gott ist mein König*, der Trauerode *Gottes Zeit ist die allerbeste Zeit* und schließlich einer Hochzeitskantate, *Der Herr denket an uns*, die er zur Vermählung einer Tante Maria Barbaras komponierte.

Gott ist mein König, im eher ornamentalen Stil Buxtehudes gehalten, erforderte den vollen Einsatz der Stadtmusiker: es war für Flöten, Fagotte, Oboen, Trommeln und drei Trompeten sowie Saiteninstrumente, Chor und Orgel geschrieben und klang prachtvoll. *Christ lag in Todesbanden* hingegen ist getragener; es basiert auf einem protestantischen Choral, bei dem die einzelnen Verse von unterschiedlich gemischten Stimmen gesungen und von Saiteninstrumenten begleitet wurden.

Als Organist von St. Blasius forderte Sebastian auch Verbesserungen für seine Orgel. So stellte er eine Liste mit den Schwächen des Instruments und Vorschlägen zu seinem Umbau zusammen. »Die alten Bass Windladen, müssen alle ausgenommen, und von neüen mit einer solchen Windführung versehen werden, damit man eine einzige Stimme alleine, und denn alle Stimmen zugleich ohne Veränderung des Windes könne gebrauchen«, was »doch höchstnöthig« sei; ferner solle das Trompeten-Register aus- und ein Fagott eingebaut werden, da dieses »zu allerhandt neüen inventionibus dienlich, und in die Music sehr delicat klinget«.

Tatsächlich war hier vieles wiederholt, was schon Christoph Bach in Eisenach für die Orgel von St. Georg gefordert hatte – mit dem Zusatz eines pedalgetriebenen Glockenspiels, das die Gemeinde verlangte.

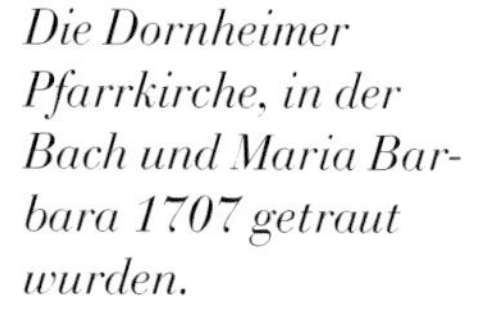

Die Dornheimer Pfarrkirche, in der Bach und Maria Barbara 1707 getraut wurden.

Womit Bach anscheinend nicht gerechnet hatte, war die starke pietistische Bewegung in Mühlhausen. Fortschrittliche Kirchenmusik war in St. Blasius wenig beliebt, und obwohl den Stadtvätern die Kantate *Gott ist mein König* so gut gefiel, daß sie sie drucken ließen (von Bachs zahlreichen Kantaten wurde zu seinen Lebzeiten nur noch eine gedruckt), blockierten Gemeinde und Pfarrer die Versuche des jungen Organisten, seine unzweifelhaften Gaben zu entfalten.

Der Pietismus, eine Strömung innerhalb des Protestantismus, hob die Wichtigkeit der persönlichen spirituellen Erleuchtung im Gegen-

Das Innere von St. Blasius in Mühlhausen, wo Bach 1707 als Organist eingestellt wurde.

satz zur Leblosigkeit der orthodoxen Lehre hervor. Der Pastor von St. Blasius, J. A. Frohne, war ein bekannter Pietist, und es ist bezeichnend, daß Bachs erstes, im Dezember 1708 geborenes Kind von Georg Christian Eilmar getauft wurde, der Pfarrer an der Mühlhausener Marienkirche und ein erklärter Gegner des Pietismus war. (Eilmar lieferte auch die Texte für einige von Bachs frommen Kantaten.)

Die Pietisten pflegten eine asketische Form des Gottesdienstes und sahen in der übermäßigen Verwendung von Musik oder Kunst in der Kirche eine Versuchung des Frommen durch weltliche Ablenkungen. Manche wollten Instrumentalmusik, die für sie eine »Vermischung der irdischen Eitelkeit mit dem Heiligen« war, sogar ganz verbieten lassen. Dieser Trend lief Bach, dessen figurale, dekorative Orgeltechnik schon in Arnstadt auf Ablehnung gestoßen war, vollkommen zuwider. Er war zwar orthodoxer Lutheraner, aber es ist unwahrscheinlich, daß Engstirnigkeit oder Puritanismus in Glaubensfragen irgendeinen Reiz für ihn hatten. Für ihn konnte Musik das spirituelle Erleben bereichern – nicht gefährden.

Wieder einmal war Sebastian in einer unsicheren Situation. Die Kirche, bei der er angestellt war, hatte keinerlei Sympathie für seine Spielweise und seinen Musikgeschmack. So resignierte er 1708 unvermeidlich und äußerte seine Unzufriedenheit folgendermaßen:

> Wenn ich auch stets... eine regulirte kirchen music... gerne aufführen mögen... so hat sichs doch ohne wiedrigkeit nicht fügen wollen, gestalt auch zur zeit die we-

Ein Stich aus dem 19. Jahrhundert, der die Mühlhausener Blasiuskirche zeigt.

> nigste apparance ist, daß es sich anders … künfftig fügen mögte, über dießes demüthig anheim gebende, wie so schlecht auch meine Lebensarth ist, … und … ich nothdürfftig leben könne.

Außerdem beklagte er sich, daß die Musik, die er in umliegenden Dörfern erfolgreich propagiert hatte, die von St. Blasius oft übertraf – obwohl es Gemeindemitglieder gab, die eine Veränderung willkommengeheißen hätten!

Zum Glück mußte Bach sich nicht lange nach einer neuen Stelle umsehen. Johann Effler, Organist am Hofe von Weimar, näherte sich dem Ruhestand. Als Herzog Wilhelm Ernst von Sachsen-Weimar Bach den Posten des Organisten und Hofmusikers anbot, nahm er sofort an. Dies war der Ausweg aus den religiösen Kontroversen von Arnstadt und Mühlhausen – und es lockte ein höheres Gehalt. Wiederum war es kein Problem, die Auflösung seines Vertrages auszuhandeln; Bach willigte ein, die Erneuerung der Mühlhausener Orgel zu beaufsichtigen – auf der er dann tatsächlich noch einmal *Ein' feste Burg* spielte.

Bachs erste Manuskriptseite der Kantate Gott ist mein König, *die er in Mühlhausen komponierte.*

WEIMAR UND KÖTHEN

Nach sorgenvollen Lehrjahren als Kirchenorganist genoß Bach jetzt die ganz anderen Aufgaben eines Hofmusikers in Weimar und Köthen.

Bachs Dienstherr in Weimar, 65 Kilometer östlich von Mühlhausen gelegen, war der streng orthodoxe Lutheraner Herzog Wilhelm Ernst, der ältere Bruder von Johann Ernst, in dessen Diensten Bach fünf Jahre zuvor kurze Zeit gestanden hatte. Der Herzog hatte kulturelle Interessen, die, wie er meinte, seiner Rolle angemessen waren – das Sammeln schöner Bücher und Münzen und die Förderung der Musik –, aber in erster Linie war er ein gläubiger Christ, der darauf bestand, daß der Hof so wie er strikt die protestantischen Regeln befolgte. Er schaffte Bälle ab, unterzog seine Höflinge Prüfungen über die in der Kapelle gehaltenen Predigten und insistierte darauf, daß im Schloß früh zu Bett gegangen wurde!

Bachs Aufgaben in Weimar sind nicht ganz klar; sicherlich fungierte er als Organist und Kammermusiker, erlangte aber nicht die gehobenere Position eines Kapellmeisters. Als Kammermusiker mußte er eine Husarenuniform tragen und spielte vermutlich Violine oder Bratsche. Als Organist konnte er üben, vortragen und komponieren und überredete den Herzog außerdem, die Kirchenorgel umbauen zu lassen. Auch war er zunehmend gefragt als Lehrer für Mitglieder des Herzogshauses, für seine eigenen Kinder, seine Verwandten und andere Schüler, etwa Johann Martin Schubart und Johann Tobias Krebs. Zumindest anfänglich trug er keine Verantwortung für Chor oder Orchester.

Während dieser neun Jahre in Weimar bekam Bach als Komponist und als Mann festen Boden unter den Füßen; es war eine relativ entspannte Zeit, da der Herzog ihn offensichtlich schätzte und auch zwischendurch sein Gehalt erhöhte.

Das erste Kind der Bachs, Catharina Dorothea, wurde kurz nach ihrer Ankunft in Weimar geboren; zwei Jahre später, am 22. November 1710, folgte Wilhelm Friedemann, 1713 ein Zwillingspaar, das nur kurz lebte, am 8. März 1714 Carl Philipp Emanuel und am 11. Mai 1715 Johann Gottfried Bernhard. Wilhelm Friedemann (1710–84) und Carl Philipp Emanuel (1714–88) sollten beide ebenfalls noch heute sehr bekannte Musiker werden.

Links: *Ein Porträt Bachs, 1720 von Johann Jakob Ihle gemalt.*

Von Weimar aus unternahm Bach zahlreiche Reisen – sowohl im Auftrag seines Dienstherrn als auch in eigener Sache. Als der Hof 1714 Kassel besuchte, spielte Bach die Orgel in der Martinskirche. Ein Zeitgenosse beschreibt seine virtuose Technik: »Seine Füße flogen über die Pedale als ob sie Schwingen hätten; donnergleich brausten die mächtigen Klänge.«

Als äußerst talentierte Organist mit wachsendem Ansehen wurde Bach häufig gebeten, fremde Instrumente zu prüfen und die Einbauten neuer Orgeln zu überwachen. Hier eine Schilderung seiner Methoden bei der Inspektion einer Orgel:

> Noch nie hat jemand so scharf und doch dabei aufrichtig Orgelproben übernommen. Den ganzen Orgelbau verstand er im höchsten Grade... Das Registriren bey den Orgeln wuste Niemand so gut, wie er. Oft erschracken die Organisten, wenn er... nach seiner Art die Register anzog, indem sie glaubten, es könnte unmöglich so, wie er wollte, gut klingen; hörten aber hernach einen Effect, worüber sie erstaunten... Er sagte zum Spaß, vor allen Dingen muß ich wißen, ob die Orgel eine gute Lunge hat: um dieses zu erforschen, zog er alles Klingende an, und spielte so vollstimmig, als möglich. Hier wurden die Orgelbauer oft für Schrecken ganz blaß.

Anschließend wählte er ein Thema und präsentierte es den Anwesenden in jeder erdenklichen Form, ohne es je zu verändern, obwohl er manchmal zwei Stunden oder mehr spielte, ohne abzusetzen.

Bachs Dienstherr in Weimar, Herzog Wilhelm Ernst von Sachsen-Weimar.

Gegenüber: *Die Weimarer Schloßkapelle.*

Der Turm von Schloß Wilhelmsburg in Weimar.

1717 reiste Bach nach Dresden, um dort mit dem französischen Organisten und Komponisten Louis Marchand (1660–1722) im Spielen von Tasteninstrumenten zu wetteifern, eine damals beliebte Form der Unterhaltung. Angeblich lief aber der Franzose weg, und Bach wurde zum Sieger wegen Nichterscheinens gekürt. Der an Bewunderung gewöhnte Franzose hätte wohl festgestellt, daß er den machtvollen Angriffen seines geschickten und wagemutigen Gegners nicht gewachsen war, meinte ein deutscher Zeitgenosse.

DIE WEIMARER KOMPOSITIONEN

Resultat der neun Jahre in Weimar, die Bach überwiegend an der Orgel verbrachte, war die große Zahl an Werken, die er für dieses Instrument verfaßte, vor allem die Fantasien, Tokkaten und Präludien, die gewöhnlich in einer Fuge gipfeln. Noch heute liegen uns rund 39 bedeutende Orgelkompositionen aus dieser Zeit vor, die nach wie vor zum Standardrepertoire vieler Kirchenorganisten gehören, weil sie Schöpfungen eines Orgelspielers sind, der selbst ein Meister war.

Manche dieser Stücke kommen dadurch zustande, daß der Organist kurze Pausen im Gottesdienst – etwa beim Eintritt und Hinausgehen des Pfarrers oder anderer Würdenträger – auf seinem Instrument überbrücken muß. Derartige Kompositionen sind naturgemäß recht schlicht; oft bestehen sie aus einer eindrucksvollen Eröffnung, die dann in Form von Variationen der Tonart, des Rhythmus oder sonstiger Klangmerkmale ausgearbeitet wird. Die komplizierten Fugen aus Bachs Weimarer Jahren scheinen das Ergebnis seiner speziellen Kunstfertigkeit und Kraft auf der Klaviatur zu sein – und auf dem Pedal, denn seine Orgelwerke verlangen einen ebenso virtuosen Einsatz der Füße wie der Hände.

Bach war auch neuen Einflüssen gegenüber offen. Als Kopien von Vivaldis Concerti nach Weimar gelangten, deren innovatives Moment die Geige im Vordergrund und drei deutlich unterschiedene Tempi waren, arrangierte Bach, womöglich durch den Herzog ermutigt, einige davon für Tasteninstrumente. Dabei eignete er sich manche musikalischen Strukturen bei Vivaldi für seine eigenen Kompositionen an – ob nun für Orchester, Orgel oder Chor.

Antonio Vivaldi (ca. 1675–1741), dessen Concerti Bachs Kompositionen in seiner Weimarer Zeit beeinflußten.

Deutlich treten Bachs Ambitionen (und sein wachsender Ruhm) hervor. 1713 wurde ihm eine Stelle als Organist an der Kirche Unserer Lieben Frau in Halle angeboten, nachdem er dort ein Probekonzert auf der herrlichen Orgel gegeben hatte, die drei Manuale und 63 Register aufwies. Man setzte einen Vertrag auf, aber als Bach herausfand, daß er hier nicht mehr verdienen würde als zuvor, nutzte er, anstatt anzunehmen, diesen Beweis seiner Popularität, um Herzog Ernst Wilhelm zu überreden, ihn in Weimar zum Konzertmeister zu befördern und sein Gehalt zu erhöhen. Als das Komitee in Halle sich beschwerte, er habe mit ihrem Angebot lediglich seine Position in Weimar verbessern wollen, antwortete Bach, sein Herr hätte »ohne dem schon so viel Gnade vor meine Dienste u. Kunst ..., daß meine Besoldung zu vergrößern ich nicht erstl. nach Halle reisen darff«. (1716 hatten ihm die Behörden

in Halle offenbar vergeben, denn sie luden Bach ein, ihre Orgel zu inspizieren.)

In seiner neuen Stellung als Konzertmeister mußte Bach nun auch das Hoforchester leiten und monatlich eine Kantate für die Kapelle komponieren. Es waren ganz andere Kantaten als die in Mühlhausen verfaßten. Dort war er an einer städtischen, dem Pietismus anhängenden Kirche tätig gewesen und hatte einen gut ausgebildeten Chor, aber mittelmäßige Solostimmen zur Verfügung gehabt; hier in Weimar schrieb er in erster Linie für den Herzog, dessen Geschmack aufgeklärter und vermutlich mehr der Oper zugewandt war, sowie für geschulte Instrumentalisten (ein Streichquartett, erfahrene Fagottisten und Oboisten, Heerestrompeter und Trommler), einige vorzügliche Solostimmen, jedoch einen recht kümmerlichen Chor. Diese Faktoren erklären den Stil der Weimarer Kantaten.

Aus Bachs Originalmanuskript für Präludium & Fuge. Man beachte die Korrekturen am Fuß der ersten Seite.

Bei einigen der schönsten, die uns davon überliefert sind, stammen die blumigen Texte von Salomo Franck, Hofsekretär und Bibliothekar in Weimar. Sie gliedern sich in verschiedene, als Arien oder Rezitative gefaßte Abschnitte. Diese Kantaten erinnern an damalige Opernmusik – obgleich Bach wohl wenig Gelegenheit hatte, Opern zu hören. Allerdings setzte er meistens das volle Orchester ein, während Operngesänge normalerweise nur von einem Tasteninstrument begleitet wurden. Auch endeten Bachs Kantaten oft mit einer schlicht oder kunstvoll vertonten Hymne. Wirklich opernhaft können sie daher nicht genannt werden. Bach schrieb für die kleine, geschulte Gruppe von Kammermusikern, die ihm in Weimar zur Verfügung stand, und stellte einer Solostimme häufig ein Soloinstrument gegenüber.

Es hat sich eingebürgert, Bach als einen tief religiösen Menschen zu sehen, dessen bedeutendste Werke seine persönliche Frömmigkeit widerspiegeln. Es ist jedoch wichtig, seine Rolle als fahrender Musikus mit in Betracht zu ziehen, der den Anforderungen seines jeweiligen Arbeitgebers entsprach. In Weimar schrieb er weltliche wie auch geistliche Kantaten: tatsächlich stammt die berühmte Arie

Gruppe von Kammermusikern aus dem 18. Jahrhundert.

Herzog Ernst August von Sachsen-Weimar, Wilhelm Ernsts kultivierterer Neffe.

»Schafe können sicher weiden« aus seiner »Jagdkantate« *Was mir behagt*, einem Doppeldialog zwischen Diana und Endymion sowie Pan und Pales, verfaßt zum Geburtstag eines Freundes des Herzogs. Solche Kontrafakturen waren allgemein üblich. In Weimar konnte Bach seinen Horizont erweitern und erwies sich als Komponist, der den meisten Situationen gewachsen war.

Als der Kapellmeister Johann Samuel Drese im Dezember 1716 starb, war Bach ziemlich sicher, daß er auf dessen Posten befördert würde. Der Herzog hielt jedoch anderweitig Ausschau und bot die Stelle dem damals modernen Komponisten Georg Philipp Telemann an, der Kapellmeister in Frankfurt am Main war. Obwohl Telemann offenbar ablehnte, scheint Bach sich zurückgesetzt gefühlt zu haben – Telemann war etwa im gleichen Alter und ebenso erfahren wie er –, schrieb keine neuen Kantaten mehr und begann wieder einmal, sich nach einer anderen Position umzusehen. (Neuer Kapellmeister in Weimar wurde schließlich Dreses untalentierter Sohn Johann Ernst.)

Für Bachs Entscheidung gab es noch einen weiteren Grund. Herzog Wilhelms Neffe, der Herzog Ernst August, lebte in Gebäuden, die sich an den Palast seines Onkels anschlossen, und Bach ließ sich oft verlocken, einige Zeit an seinem kulturell lebendigeren, anregenderen Hof zu verbringen. Eifersüchtig begann Herzog Wilhelm, Mitglieder seines Hofes zu bestrafen, wenn sie Ernst Augusts Rotes Schloß besuchten, was einen unabhängigen und starrsinnigen Geist wie Bach ärgern mußte.

Als er sich jedoch erfolgreich eine neue Stelle verschafft hatte, fand Sebastian sich in Weimar im Arrest wieder. Das kam so: 1716 heiratete Herzog Ernst August die Schwester des Fürsten Leopold von Anhalt-Köthen. Durch Vermittlung des Herzogshauses erhielt Bach den Posten des Kapellmeisters bei Fürst Leopold mit einem Gehalt von 400 Talern jährlich im Gegensatz zu den 250 Talern, die er in Weimar verdiente. Bachs Bitte, ihn aus seinem jetzigen Vertrag zu entlassen, stieß jedoch auf totale Ablehnung, die zum Teil dem bösen Blut zwischen den beiden Herzögen geschuldet war. Als Bach im November

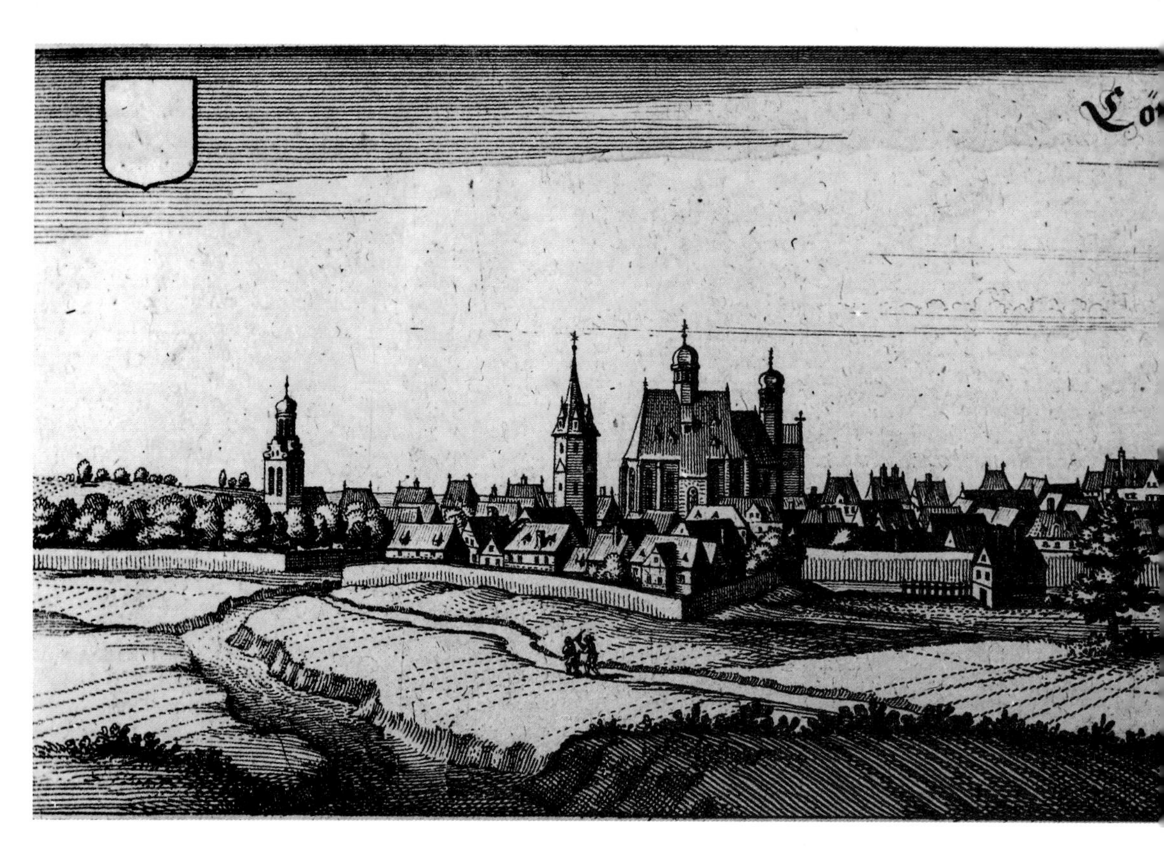

1717 die Tollkühnheit besaß, Herzog Wilhelm Ernst erneut um seine Entlassung zu bitten, geschah folgendes:

> 6. Nov., ist der bisherige Concert-Meister v. Hof-Organist Bach, wegen seiner Halßstarrigen Bezeügung v. zu erzwingenden dimission, auf der Land-Richter-Stube arrêtiret, v. endlich d. 2. Dec. ... mit angezeigter Ungnade ... befreyet worden.

KÖTHEN

Bach, nun endlich Kapellmeister, hatte am Hof von Köthen, so schrieb er später, »einen gnädigen und Music so wohl liebenden als kennenden Fürsten; bey welchem auch vermeinete meine Lebenszeit zu beschließen«. Seine Zufriedenheit wurde auch nicht dadurch beeinträchtigt, daß sein neuer Arbeitgeber Calvinist war und für die schlichten Gottesdienste wenig Musik benötigte. Früher wurde Bach gern als inbrünstiger Protestant dargestellt, der nie glücklicher war als auf der Orgelempore; jüngere Autoren sehen ihn hingegen eher als professionellen Musiker, der stets auch seinen eigenen Vorteil im Auge hatte.

Köthen, rund 95 Kilometer nördlich von Weimar gelegen, bot Bach ein Orchester, von dessen 18 Mitgliedern sieben aus dem kürzlich aufgelösten Berliner Hoforchester kamen, das Gehalt eines Hofmarschalls und einen wohlwollenden Schutzherrn in Gestalt des vierundzwanzigjährigen Fürsten, der in Rom selbst Musik studiert hatte, Cembalo und Bratsche spielte und eine gute Baßstimme hatte. Es war Fürst Leopold, der, beginnend mit drei Kammermusikern, die mit ihm zusammen musizierten, das Hoforchester aufgebaut hatten. Bach hatte in Köthen größere Freiheit als in Weimar; hier gab es keinen alten Kapellmeister, dem er sich fügen mußte, und es waren keine drei Kantaten monatlich zu komponieren. Die von ihm geforderten Kantaten dienten häufig weltlichen Anlässen.

Bachs Familie wuchs schnell; sie wohnte nicht in Leopolds Residenz, sondern in einem gemieteten Haus nahebei in der Stadt Köthen. Manchmal fanden hier auch Orchesterproben statt. Seine Söhne schickte Bach auf eine neue protestantische Schule, die die Mutter des Fürsten gegründet hatte.

DIE KÖTHENER KOMPOSITIONEN

Eine von Bachs Aufgaben in Köthen war die, nach Berlin zu reisen, um ein neues Cembalo für den Fürsten zu finden. Dort bat ihn der Markgraf Christian Ludwig von Brandenburg offensichtlich um einige Kompositionen, deren Resultat die berühmten sechs *Brandenburgischen Konzerte* waren. Bach vollendete sie 1721 und widmete sie dem Markgrafen – obwohl es keine Aufzeichnung über irgendeine Belohnung oder Vergütung für den Komponisten gibt.

Ansicht von Köthen auf einem zeitgenössischen Stich.

Markgraf Christian Ludwig von Brandenburg, dem Bach seine sechs »brandenburgischen« Konzerte widmete.

Vieles von der in Köthen geschriebenen Musik ist stilistisch klarer und zeitgemäßer als seine früheren komplizierten geistlichen Werke; Bach ließ sich anscheinend von zeitgenössischen Tänzen und Instrumentalstücken wie denen Vivaldis beeinflussen. Zahlreiche Kompositionen ähnlichen Typs stammen aus seiner Köthener Zeit, so auch die *Brandenburgischen Konzerte*, mindestens zwei Violinkonzerte und das Violin-Doppelkonzert. Bach unterschied sich jedoch von Vivaldi dadurch, daß er seine Konzerte für verschiedene Instrumentalgruppen orchestrierte. In manchen von Bachs Konzerten gibt es keinen einzigen Solisten, sondern waren mehrstimmige Stücke.

Bei der deutschen Aristokratie kam der französische Stil – wie auch die französische Sprache – in Mode. Bach reagierte darauf mit einer Reihe von Suiten im Stil der französischen Komponisten Lully sowie mit »französischer« Tanzmusik für Cembalo oder Klavichord. Ihm fehlte in Köthen eine gute Orgel (die Schloßorgel hatte nur 13 Register), und deshalb widmete er sich beim Spielen und Komponieren verstärkt diesen beiden Tasteninstrumenten, die in Deutschland unter der Bezeichnung *Clavier* zusammengefaßt wurden. Manche seiner neuen Werke waren für Konzerte gedachte, andere (wie das *Clavierbüchlein für Wilhelm Friedemann*) als Lehr-

Unten: *Giovanni Battista Lully, der französische Komponist, an dessen Stil sich Bach bei einigen seiner Köthener Suiten anlehnte.*

Rechts: *Kammermusiker des 18. Jahrhunderts, die um ein Klavichord versammelt sind.*

Gegenüber: *Bach in förmlicher Pose als Orgelspieler.*

Bachs Originalmanuskript eines Präludiums aus Das Wohltemperierte Clavier.

stücke für die Söhne des Adels und seine eigene Familie.

Bach ließ sich aber nicht allzusehr von neuen Moden beeinflussen. Immer noch schrieb er auch in seinem alten Stil, bei dem zwei oder drei Melodiestränge mit unterschiedlichem Rhythmus nebeneinander herliefen. Mit solchen Stücken vermittelte Johann Sebastian dem Sohn Wilhelm Friedemann seine Technik auf der Klaviatur.

Ein anderes großes Werk aus Bachs Köthener Jahren ist *Das Wohltemperierte Clavier* – »Präludia, und Fugen durch alle Tone und Semitonia ... Zum Nutzen und Gebrauch der Lehr-begierigen musicalischen Jugend, als auch derer in diesem studio schon habil seyenden besonderem Zeitvertreib auffgesetzet ...« – eine Folge von 24 Präludien und Fugen in jeder Dur- und Molltonart, und zwar für Tasteninstrumente, die nach dem neuen System gestimmt waren, bei dem nämlich die Intervalle zwischen den Tönen und Halbtönen etwa gleich waren. (Nach dem alten System gab es in jeder Tonart subtile Unterschiede beim Stimmen.) Diese Stücke sind nicht bloß systematische Übungen, sondern auch brillante Kompositionen – wie der junge Beethoven merkte, als er Klavierspielen lernte.

Ebenfalls aus der Köthener Zeit stammt eine Reihe ungewöhnlicher Sonaten für Violine ohne Begleitung und eine weitere für Violoncello. Möglicherweise war die Violinsuite für den virtuosen Geiger Pisendel aus Dresden gedacht.

In Köthen kam Bach auch einer Begegnung mit seinem großen Zeitgenossen Georg Fried-

Bachs großer Zeitgenosse Georg Friedrich Händel (1685–1759).

rich Händel – im selben Jahr geboren wie er, und zwar im nur 50 Kilometer von Eisenach entfernten Halle – am nächsten. 1719 hörte Bach, daß Händel auf der Suche nach Opernsängern für einen Auftritt in London nach Halle kommen würde. Leopold lieh Bach ein Pferd, um den Komponisten zu treffen, aber Händel befand sich schon wieder auf dem Rückweg nach England.

EINE NEUE POSITION

Wie wir gesehen haben, schien Bach in Köthen recht zufrieden; dennoch zog er 1722 nach Leipzig. Was hatte ihn aus seiner Zufriedenheit aufgeschreckt? Im Juli 1720, während sich er und sein Dienstherr mit einer kleinen Gruppe von Musikern in Karlsbad aufhielten, starb plötzlich seine Frau Maria Barbara (angeblich im Kindbett). Bei Bachs Rückkehr war sie bereits beerdigt. Offenbar hatten sie eine gute Ehe geführt; der Schock über den Tod seiner Frau muß ihn sehr aufgewühlt haben.

Bachs unmittelbare Reaktion war die, sich anderswo um Arbeit zu bemühen. Er interessierte sich für die Stelle eines Organisten an der Jacobikirche in Hamburg, einer Stadt, die für ihre hervorragenden Orgeln und Organisten berühmt war. Das Hamburger Komitee bevorzugte jedoch einen unbekannten Musiker – nachdem es 4000 Mark von ihm erhalten hatte. Bach war nicht willens – und vermutlich auch nicht in der Lage – gewesen, eine ähnliche Bestechung zu versuchen, und blieb in Köthen. Im Protokollbuch von St. Jacobi wurde dieses Geschäft so kommentiert: »Es fünden sich viele Uhrsachen, den Verkauff

eines Organisten Dienstes nicht einzuführen... Wann aber nach geschehener Wahl, der Erwehlte aus freyen Willen eine Erkäntlichkeit erzeigen wolte, könte solche... der Kirchen zum Besten angenommen... und wo es nötig sein möchte wieder verwand werden.«

Ein Zeitgenosse von Bach, der Musikschriftsteller und Komponist Johann Mattheson, beschrieb den Vorfall später wesentlich verächtlicher: »Es meldete sich aber auch zugleich, nebst andern untüchtigen Gesellen, eines wohlhabenden Handwercks-Mannes Sohn an, der besser mit Thalern, als mit Fingern, praeludiren kunnte, und demselben fiel der Dienst zu, wie man leicht erachten kann: unangesehen sich fast jedermann darüber är-

Bach mit dreien seiner Söhne.

gerte.« Auch Pastor Neumeister, der »beredte Haupt-Prediger« der Kirche, sei erzürnt gewesen und solle ein Predigt über »das Evangelium von der Engel-Music bey der Geburt Christi« mit den Worten geschlossen haben: »Er glaube gantz gewiß, wenn auch einer von den Bethlemitischen Engeln vom Himmel käme, der göttlich spielte, und wollte Organist... werden, hätte aber kein Geld, so mögte er nur wieder davon fliegen.«

Während seines Aufenthalts in Hamburg traf Bach auch Reincken – inzwischen fast 100 Jahre alt – wieder und spielte ihm auf der Orgel der Katharinenkirche vor. Der alte Meister war beeindruckt von Bachs Improvisationen zu dem protestantischen Choral *An Wasserflüssen Babylon*: »Ich dachte, diese Kunst wäre gestorben«, soll er gesagt haben, »ich sehe aber, daß sie in Ihnen noch lebet.«

Am 3. Dezember 1721 heiratete der 36jährige Bach Anna Magdalena Wilcke, die zwanzigjährige Tochter eines Hoftrompeters in Weißenfels, selbst ausgebildete Musikerin und Sängerin im Chor des nahegelegenen Hofes von Anhalt-Zerbst. Bach war Witwer mit vier Kindern, die auf jeden Fall eine Mutter brauchten, aber in Anna Magdalena scheint er auch eine fähige Musikantin und echte Gefährtin gefunden zu haben. In den beiden *Clavierbüchlein*, die Bach in den ersten Jahren ihrer Ehe für seine Frau zusammenstellte, gibt es ein kleines Liebesgedicht, das sicher an sie gerichtet war.

Als der Fürst 1721 seine Base Friederika Henrietta, die Tochter des Fürsten Carl-Friedrich von Anhalt-Bernburg, ehelichte, beschloß Bach, Köthen zu verlassen. Er hatte schnell festgestellt, daß sie eine »amusa« war, und daß »die musicalische Inclination bey besagtem Fürsten in etwas laulicht werden wolte«.

Im Juni 1722 starb Johann Kuhnau, Kantor an der Thomasschule zu Leipzig. Die Position, die er 20 Jahre lang bekleidet hatte, war sehr angesehen, und der Stadtrat zog sechs erfahrene Musiker in die engere Wahl, von denen schließlich Georg Philipp Telemann Kuhnaus Nachfolger werden sollte. Dessen Arbeitgeber weigerten sich jedoch, ihn zu entlassen, erhöhten aber sein Gehalt.

Bachs Manuskript für ein Präludium aus einem der Clavierbüchlein *für seine zweite Frau Anna Magdalena.*

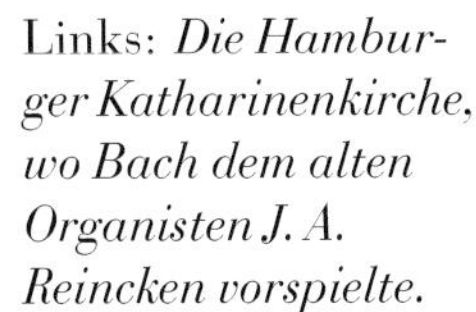
Links: *Die Hamburger Katharinenkirche, wo Bach dem alten Organisten J. A. Reincken vorspielte.*

Ursprünglich hatte sich Bach nicht um die Stelle beworben – Telemann war sein persönlicher Freund –, aber jetzt zeigte er sich interessiert daran. Die Leipziger entschieden sich für Christoph Graupner, Hofmusiker in Darmstadt, wurden jedoch wiederum durch den Dienstherrn ihres Kandidaten enttäuscht, der ihn nicht entlassen wollte. Bach hingegen erhielt vom Fürsten Leopold eine Urkunde, in der ihm dieser bescheinigte, daß er mit seinen »Verrichtungen jeder Zeit wohl zufrieden gewesen: Wan aber derselbe anderweit seine Fortun . . . zu suchen willens, und uns deshalb um gnädigste dimission unthertänigst angelanget: Alß haben Wir ihm dieselbe hier durch in gnaden ertheilen, und zu anderweiten Diensten bestens recommendiren wollen.« So wurde Bach Thomaskantor.

LEIPZIG

Bachs letzter Schritt in seiner Laufbahn führte ihn an die Thomasschule in Leipzig, wo er stürmische Jahre als Kantor verlebte und eine gewaltige Menge von Kantaten und andere Kirchenmusik schuf.

Am 5. Mai 1723 unterschrieb Bach einen Vertrag mit 14 Klauseln, in denen seine Aufgaben als Thomaskantor umrissen wurden; zwei Wochen später zog seine Familie von Köthen nach Leipzig – und benötigte zwei Kutschen und vier Gepäckwagen, um sich und ihren Besitz zu befördern, für damalige Verhältnisse viel. Leipzig war die zweitgrößte Stadt Sachsens, Zentrum des deutschen Druck- und Verlagshandwerks und Sitz einer fortschrittlichen und berühmten Universität.

Blick auf Leipzig aus der Ferne.

Links außen: *Das Innere der Leipziger Thomaskirche.*

Rechts: *Die an die Thomaskirche* (links) *angrenzende Thomasschule auf einem Stich aus dem 19. Jahrhundert.*

Unten: *Die Stadt Leipzig im 17. Jahrhundert aus der Vogelperspektive. Die Thomaskirche ist auf diesem Stich als Nr. 2 verzeichnet.*

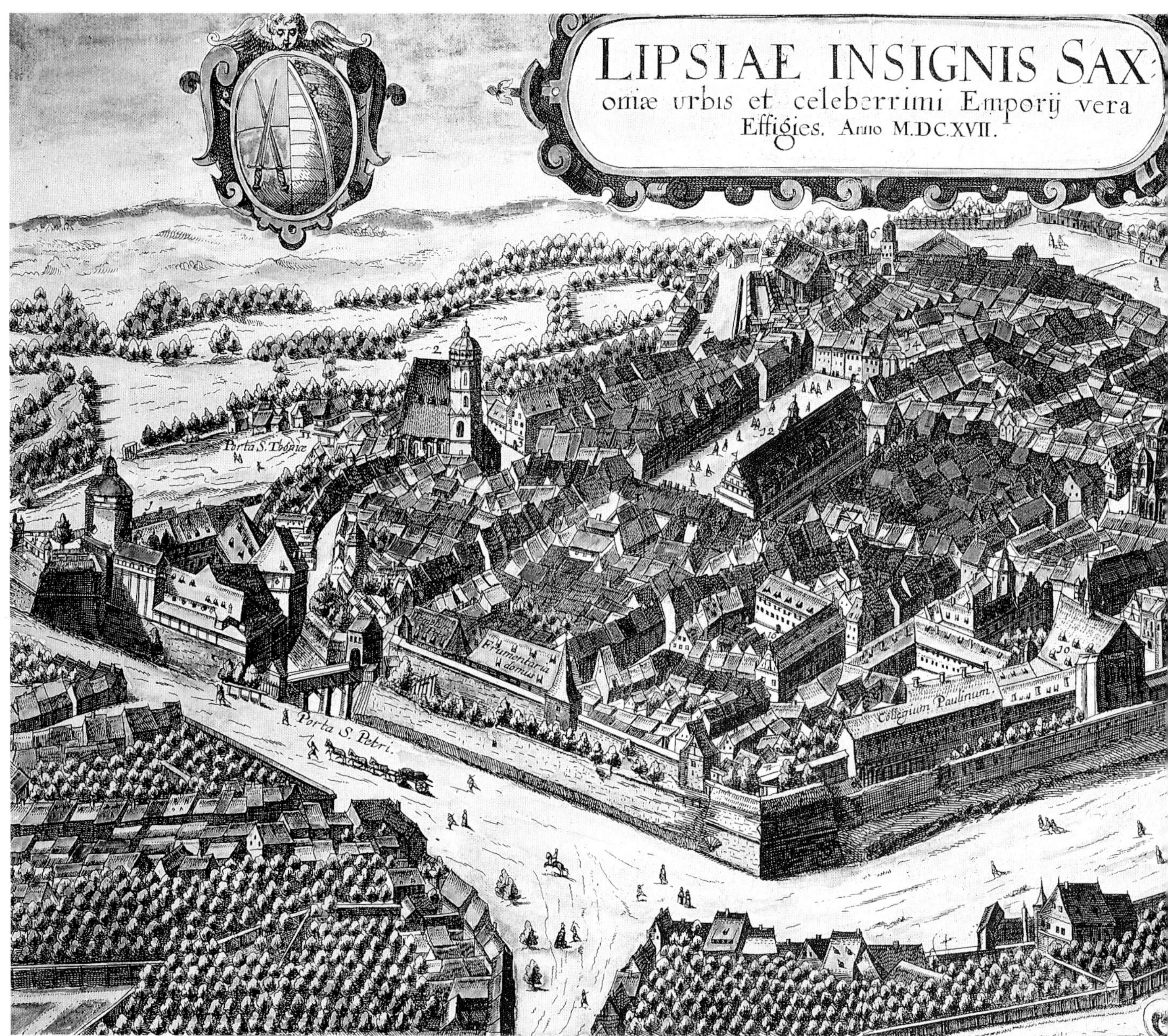

Bach war als Kantor der Thomasschule angestellt, die räumlich und organisatorisch eng mit der Thomaskirche verbunden war. Hier bekleidete er jedoch keinen offiziellen Rang; tatsächlich wurden viele seiner Werke in der Nikolaikirche vorgetragen, der anderen Hauptkirche Leipzigs.

Dieser Kantorposten war einer der bedeutendsten in ganz Deutschland. Bach war dem Stadtrat gegenüber verantwortlich als musikalischer Leiter für die Hauptkirchen der Stadt, lieferte Kompositionen zu bestimmten öffentlichen Anlässen, beaufsichtigte die Konzerte in allen Stadtkirchen, darunter St. Thomas, St. Nikolaus, St. Peter und der Neuen Kirche, und hatte auch Dienste an der Universitätskirche St. Paul zu verrichten. Er mußte, jeden Sonntag abwechselnd in St. Thomas oder St. Nikolaus, den Hauptchor dirigieren, in beiden Kirchen die Organisten und andere Musiker überwachen und war außerdem für Musik und Instrumente zuständig. Sein Gehalt für all das betrug einen Bruchteil dessen, was er in Köthen bekommen hatte, wurde jedoch durch Nebeneinkünfte bei Hochzeiten, Beerdigungen und so weiter erheblich aufgebessert, so daß er in Leipzig wesentlich mehr verdiente.

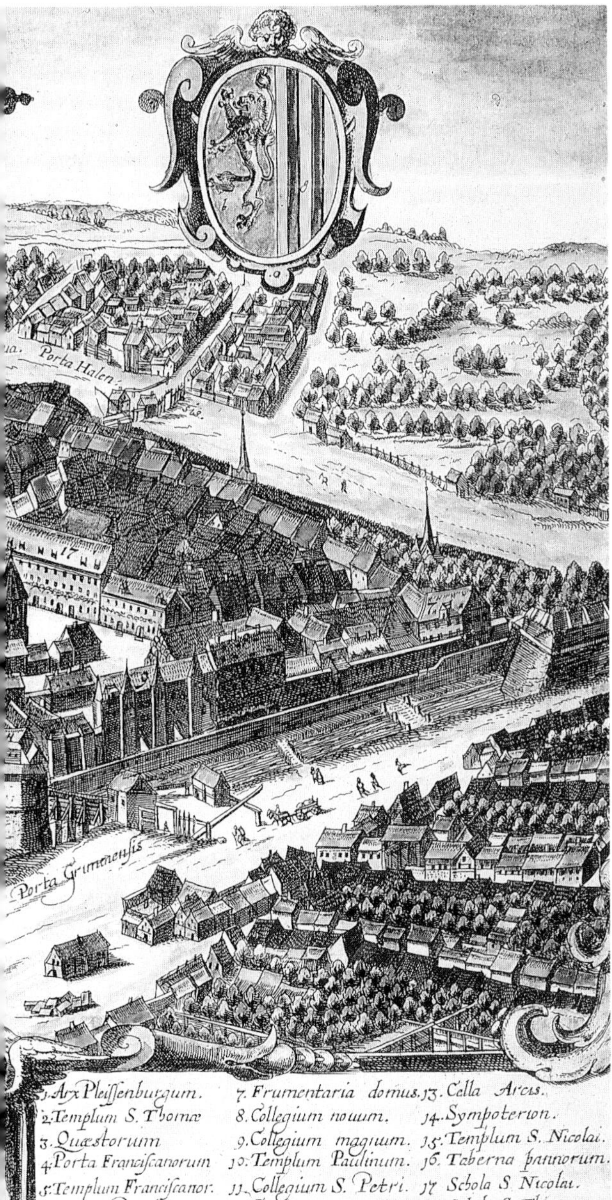

In der Schule nahm der Kantor hinter dem Rektor und dessen Stellvertreter den dritten Rang ein, und es gehörte zu seinen Aufgaben, die Internatsschüler der oberen Klassen in Musik und anderen Fächern zu unterrichten und einzelnen Schülern das Spielen von Instrumenten beizubringen. Außerdem war der Kantor eine Woche von vieren für die allgemeine Disziplin verantwortlich, mußte die Schüler jeden Morgen um fünf Uhr wecken, die Morgenandacht leiten, die Mahlzeiten beaufsichtigen und generell zur Stelle sein.

Die Thomasschule hatte rund 60 Zöglinge im Alter zwischen 11 und Anfang 20, die in den Chören der Stadtkirchen sangen. Sie kamen hauptsächlich aus armen Familien, wurden zumeist durch Spenden unterhalten und mußten bei jedem Wetter, bei Beerdigungen und in den Straßen der Stadt, um Almosen singen.

Bach kam, wie zu erwarten, seinen nichtmusikalischen Pflichten ohne große Begeisterung nach und überredete bald Carl Friedrich Pezold, einen seiner Kollegen, die meisten davon für ein Entgelt von 50 Talern im Jahr zu übernehmen. (Der Rat hatte einem derartigen Arrangement vor Bachs Einstellung zugestimmt, kritisierte ihn aber später deswegen.) Manches delegierte Bach auch an seine Präfekten: der Gesangsunterricht und gelegentlich auch die Musik bei Hochzeiten wurde ihnen übertragen.

Bei seiner Ankunft in Leipzig fand Bach die Schule in einem traurigen Zustand vor. Der Rektor Johann Heinrich Ernesti, seinerzeit ein angesehener Gelehrter, war jetzt 71 und hatte jegliche Kontrolle über Personal und Schüler verloren. Die Unterbringung war unzureichend; es gab zu wenig Betten für die rund 60 Internen (die sich manchmal ein Bett teilen mußten), nur einen Klassenraum für drei Klassen (und die schulischen Mahlzeiten), und ansteckende Krankheiten grassierten. Auch das Unterrichtsniveau war gesunken.

Die Familie Bach lebte im selben Gebäude wie die Internatsschüler, und das Arbeitszimmer des Kantors war vom Klassenraum der Sechstkläßler nur durch eine Gipswand getrennt. Zwischen 1723 und 1728 gebar Anna Magdalena fünf Kinder, von denen allerdings nur zwei das Kleinkindalter überlebten. Im Winter 1726 machte die Vergrößerung der Familie anscheinend Veränderungen an der Wohnung der Bachs notwendig.

DIE KANTATEN

Trotz dieser häuslichen Schwierigkeiten war Bach in seinen ersten Jahren in Leipzig offenbar sehr kreativ und inspiriert. Sein musikalisches Können wurde nicht angezweifelt; bald nach seiner Ankunft hieß es, der neue Kantor und Leiter des Collegium Musicum, der vom Fürstenhofe in Köthen hierher gekommen sei, hätte bereits mit großem Erfolg seine ersten Werke geschaffen.

Allein die Menge an Musik, die in Leipzig jede Woche erforderlich war, ist erstaunlich. Folgende Stücke mußte Bach für die sonntäglichen Gottesdienste, die um sieben Uhr morgens begannen und, mit einer einstündigen Predigt in der Mitte, wahrscheinlich erst gegen halb elf zu Ende waren, vorbereiten: ein Orgelsolo oder Lied, eine lateinische Motette oder ein Orgelsolo, die *Missa*, ein Zwischenspiel auf der Orgel, ein geistliches Lied, eine Kantate, das Glaubensbekenntnis »Wir glauben all«, zwei Kirchenlieder und eine lateinische Motette oder ein Lied zum Abendmahl. Alles mußte unter Bachs Leitung bearbeitet und geprobt werden.

Die Leipziger Thomaskirche.

Allerdings gab es in Leipzig keinen festen Bestand an Kantaten, auf die Bach für den Gottesdienst zurückgreifen konnte: die meisten schrieb er anscheinend eigens selbst. Dazu vertonte er den jeweils ausgewählten Bibeltext für Chor und Orchester, die sich aus den Schülern der Thomasschule, den Stadtmusikern und einigen Universitätsstudenten zusammensetzten. In diesen ersten Jahren in Leipzig verwendete Bach den größten Teil seiner Energie vermutlich aufs Komponieren: zwischen 1723 und etwa 1729 verfaßte er ungefähr eine Kantate pro Woche, ganz zu schweigen von den Motetten, den Passionen, dem *Magnificat* und vielem anderen, und all das, während er in der Zwischenzeit die musikalischen Teile der Liturgie für die beiden Hauptkirchen St. Thomas und St. Nikolaus probte, leitete und vortrug – eine unglaubliche Leistung.

Bach schrieb für jeden Sonntag eine neue Kantate, außerdem spezielle Kantaten für die wichtigsten kirchlichen Feiertage, also insgesamt rund 60 im Jahr. Diese hohe Produktivität behielt er während seiner ersten fünf Jahre in Leipzig bei. Er schuf um die 300 Kantaten,

Das Innere der Leipziger Thomaskirche.

Georg Philipp Telemann, der eigentlich statt Bach Thomaskantor werden sollte, aber seine Arbeitgeber weigerten sich, ihn zu entlassen.

von denen etwa 200 überliefert sind. Nach diesem Kreativitätsschub verfaßte er jedoch nur noch sehr wenige neue Kantaten.

Bachs Kantaten waren erheblich kunstvoller als die seiner Zeitgenossen. Telemann komponierte sie oft nur für eine Solostimme; bei Bach hingegen bestanden sie gewöhnlich aus vierteiligen Chören, Arien, häufig mit schwierigen Partien für Soloinstrumente wie die Oboe (offenbar gab es in Leipzig vorzügliche Oboisten), und Rezitativen mit komplizierter Orchesterbegleitung. 1727 begegnete Bach dem Lehrer und Dichter Christian Friedrich Henrici, der unter dem Künstlernamen Picander für einige der Leipziger Kantaten die Libretti lieferte. Henrici beglückwünschte den »unvergleichlichen Kapellmeister« zur Schönheit seiner Musik.

Bachs Leipziger Werke beschränkten sich jedoch nicht auf Kantaten. Schon zu Weihnachten 1723 wurde seine erste bekannte Vertonung des *Magnificat* vorgetragen, die in ihrer Struktur einer Kantate ähnelte. Auf den Eröffnungschoral folgten Arien, den Abschluß bildete ein Chorsatz. Zum nächsten Weihnachtsfest schrieb Bach das *Sanctus in D-Dur*, heute ein Satz der *Messe in h-Moll*. Dieses Stück ist mit seinem sechsstimmigen Chor, den Oboen und dem dramatischen Einsatz der Trompeten äußerst feurig.

DIE PASSIONEN

Im Jahre 1724 war Bachs Hauptwerk die *Johannespassion*, die Ostern aufgeführt werden sollte. Bach traf die Vorbereitungen dafür in der Thomaskirche, aber der Superintendent von St. Nikolaus beschwerte sich beim Stadtrat darüber, weil vorher festgelegt worden war, die Osterpassionen jedes Jahr abwechselnd in einer der beiden Kirchen vorzutragen, und 1724 war St. Nikolaus an der Reihe. Als Bach erklärte, auf der dortigen Empore sei nicht genügend Platz für die Musiker, und das Cembalo wäre defekt, kam der Rat überein, diese Mängel zu beheben, und Bach versprach, künftig keine derartigen Anordnungen zu treffen, ohne zuvor wunschgemäß den Superintendenten zu konsultieren.

Die Tradition der Passionsmusik in der Osterwoche reicht in Deutschland bis ins Mittelalter zurück, als einzelne Sänger bei ihrem

Vortrag die Gestalten der Leidensgeschichte darstellten. Im protestantischen Leipzig stammten die Texte zu den Passionen überwiegend aus der Bibel, außer bei den Arien und allgemeinen Kirchenliedern. Auch Bachs Vorgänger in Leipzig, Thomas Kuhnau, hatte 1721 Passionsmusik für den Karfreitag geschrieben.

Bachs *Johannespassion* zeichnet sich durch ihre präzise Dramatik aus. Der Chor repräsentiert die wankelmütige Menge von Jerusalem, die Christus einmal bemitleidet, dann wieder verspottet, während der Evangelist als Solostimme die Geschichte rezitiert. Die *Passion* war für ein Orchester mit zwei Flöten, zwei Oboen, Fagott, Saiteninstrumente, Gambe, Laute und zwei Viole d'amore gedacht.

Der Höhepunkt dieser Periode – und vermutlich Bachs ganzer Laufbahn – ist die ehrgeizige *Matthäuspassion*, die wahrscheinlich für den Karfreitag 1727 verfaßt wurde. Für dieses umfassende Werk schrieb Bachs Mitarbeiter Picander (der auch Postbeauftragter von Leipzig war) die Texte, die nicht aus der Bibel entnommen wurden, während Bach komponierte, und zwar für zwei Chöre mit 20 Stimmen und zwei Orchester mit mindestens zwölf Musikern. Da die Erzählung des Evangelisten Matthäus recht lang ist, war auch die Vertonung viel länger als die *Johannespassion*. Außerdem wirkte sie wesentlich besinnlicher als die frühere Passion.

1725 fing Bach mit einem zweiten *Clavierbüchlein* für Anna Magdalena an, das er aus verschiedenen Stücken und Arien zusammenstellte. Etwa um dieselbe Zeit begann er auch, seine Werke für Tasteninstrumente zu publizieren. 1726 erschien die erste seiner Partiten, eine Suite für geübte Musiker.

Seine Kontakte nach Köthen hatte Bach in der Zwischenzeit nicht einschlafen lassen und sogar weiterhin gelegentlich Stücke für den Fürsten geschrieben, wenn er mit seiner Frau dort zu Gast war. Im März 1729 fuhr er mit ihr und seinem ältesten Sohn Wilhelm Friedemann nach Köthen, um dort beim Begräbnis seines ehemaligen Herrn Fürst Leopold die Kantate *Klagt, Kinder, klagt es aller Welt*

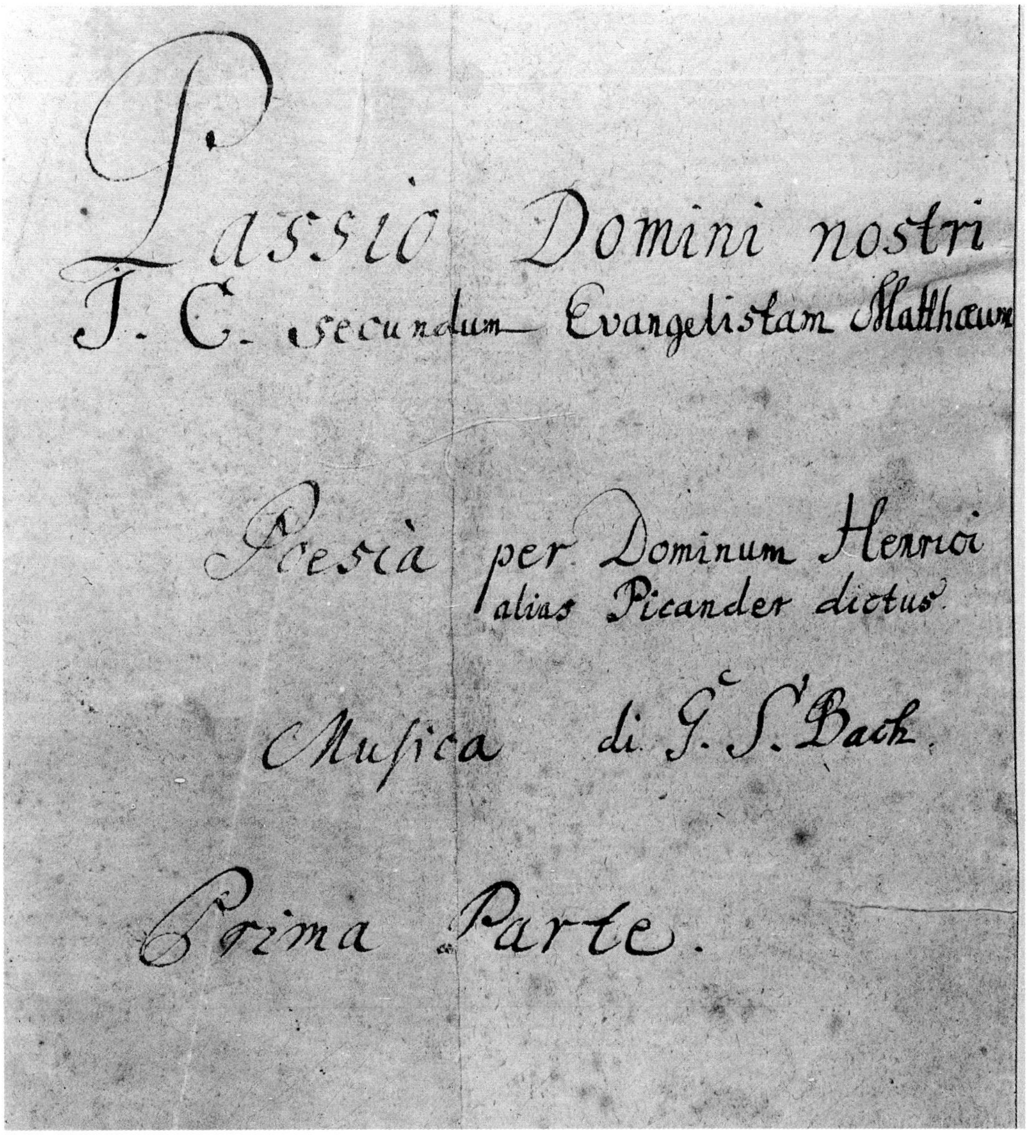

Passio Domini nostri
J. C. secundum Evangelistam Matthæum

Poesia per Dominum Henrici
alias Picander dictus.

Musica di G. S. Bach.

Prima Parte.

Das Titelblatt von Bachs Matthäuspassion.

Aus Bachs Originalmanuskript der Matthäuspassion.

vorzutragen. Sie erhielten ein großzügiges Honorar von 230 Talern für diesen letzten Dienst.

Auch in Leipzig hatte Bach noch den Titel des Kapellmeisters vom Hause Köthen beibehalten. Nach dem Tode Leopolds sah er sich nach einem anderen Adelshaus um, dem er sich verbinden könnte. Im Februar 1729 verbrachte er mehrere Tage am Hof von Herzog Christian von Weißenfels und wurde nach einiger Zeit prompt zum Kapellmeister von Sachsen-Weißenfels ernannt.

In diesen Jahren war Bach vermutlich am aktivsten. Er schuf nicht nur eine Menge neuer Kompositionen, sondern war außerdem auch Musikdirektor in Leipzig und sehr gefragt als Orgelspieler und Gutachter für Instrumente. Er besuchte Störthal, Gera und sogar Dresden, um dort Orgeln zu inspizieren oder abzunehmen.

DIE LEIPZIGER DISPUTE

Während diese ersten Jahre in Leipzig durch hohe Produktivität gekennzeichnet waren, wurden sie gleichzeitig durch etliche Zusammenstöße mit der Obrigkeit beeinträchtigt. Wir haben bereits gesehen, daß Bach mit seinen früheren Arbeitgebern häufig in Streit geriet; es war nur wahrscheinlich, daß sich dies auch in Leipzig wiederholte, wo er verschiedenen Autoritäten verantwortlich war – dem Rektor der Thomasschule, dem Stadtrat und der Kirchenbehörde. Diese Einschränkungen müssen den Komponisten ständig geärgert haben, besonders nach der relativen Freiheit, die er in Köthen genossen hatte.

Die Musik für die Universitätskirche St. Paul war Gegenstand der ersten Auseinandersetzung zwischen Bach und der Leipziger Obrigkeit. 1710 hatte die Universität dort einen neuen sonntäglichen Gottesdienst eingeführt, den der Musikdirektor dieser Kirche selbst übernehmen sollte. Bachs Vorgänger Kuhnau hatte jedoch darauf bestanden, für ein Entgelt von zwölf Gulden weiterhin den alten Gottesdienst zu leiten. Nach Kuhnaus Tod wurde Johann Gottlieb Görner zum musikalischen Leiter beider Gottesdienste ernannt. Bald nach seiner Einstellung als Kantor im Jahre 1723 beantragte Bach, ihm wieder das traditionelle Recht zuzugestehen, den alten Gottesdienst musikalisch zu betreuen.

Bei der Verfolgung seiner Rechte war Bach immer hartnäckig. Seine erste Eingabe an den Rat der Universität wurde zwar abgelehnt, aber weitere Verhandlungen führten dazu, daß ihm der alte Gottesdienst angeboten wurde, allerdings für die Hälfte von Kuhnaus Honorar. Bach war noch nicht zufrieden: er wandte sich an Kurfürst August von Sachsen, und 1726 wurde ihm schließlich die Leitung des alten Gottesdienstes zur alten Besoldung

Die Orgel der Leipziger Thomaskirche.

Unten: *Kurfürst Friedrich August von Sachsen.*

Gegenüber: Bachs Eingabe an den Stadtrat von Leipzig aus dem Jahr 1730.

zugebilligt. Danach verlor er, abgesehen von besonderen Gelegenheiten, offenbar jedes Interesse an der Paulskirche. Der Universitätsrat rächte sich seinerseits, indem er musikalische Aufträge nicht an Bach vergab.

Eines der besonderen Ereignisse in der Paulskirche war Anlaß für einen weiteren Streit, in den auch wieder Görner, ihr musikalischer Direktor, verwickelt war. 1727 schlug der adlige Student Hans Carl von Kirchbach einen Gedenkgottesdienst in der Universitätskirche zum Tode von Christiane Eberhardine, der Frau des Kurfürsten, vor. Er beauftragte Johann Christoph Gottsched, einen Dichter und Universitätsdozenten, mit dem Libretto für eine Trauerode und bat Bach, sie zu vertonen. Nachdem dies geschehen war, versuchten Görner und die Leipziger Universität, Bach daran zu hindern, an der Zeremonie teilzunehmen, für die die Musik komponiert worden war. Schließlich zahlte Kirchbach zwölf Taler an Görner, und Bach konnte seine eigene Komposition von der Orgel aus leiten. Er weigerte sich standhaft, die von Görner geforderte Erklärung zu unterschreiben, daß er nie wieder private Vereinbarungen mit Mitgliedern der Universität treffen würde.

Auseinandersetzungen kennzeichneten auch weiterhin Bachs Laufbahn. 1728 stritt er sich mit dem Diakon von St. Nikolaus darum, wer die Lieder für die Abendandachten auswählen dürfte. Als Bach sich an die Kirchenbehörde wandte, unterstützte diese den Geistlichen und meinte, Bach hätte sich an dessen Entscheidung zu halten.

1730 spitzten sich die Dinge so zu, daß man Bach eine Liste mit Beschwerden über ihn als Kantor präsentierte, auf der unter anderem unerlaubte Abwesenheit, Vernachlässigung des täglichen Gesangsunterrichts an der Thomasschule sowie weitere Kritikpunkte und Vergehen zur Sprache kamen. Bachs Reaktion läßt wieder einmal seine Starrköpfigkeit erkennen. Statt zu versuchen, Erklärungen abzugeben oder einen Kompromiß zu schließen, überreichte er dem Rat einfach ein Memorandum, in dem er die Mängel aufzählte, die *er* in Leipzig festgestellt hatte:

> *Kurtzer, iedoch höchstnöthiger Entwurff einer wohlbestallten Kirchen Music; nebst einigem unvorgreiflichen Bedencken von dem Verfall derselben.*

Zu einer wohlbestellten Kirchen Music gehören Vocalisten und Instrumentisten. Die Vocalisten werden hiesigen Orths von denen Thomas Schülern formiret, und zwar von vier Sorten, als Discantisten, Altisten, Tenoristen, und Baßisten. So nun die Chöre

Die Paulinerkirche der Leipziger Universität, wo J. G. Görner musikalischer Leiter war.

Kurtzer, iedoch höchstnöthiger Entwurff einer wohlbestallten Kirchen Music; nebst einigem unvorgreiflichen Bedencken von dem Verfall derselben.

Zu einer wohlbestallten Kirchen Music gehören Vocalisten und Instrumentisten.
Die Vocalisten werden hiesiges Orths von denen Thomas Schülern formiret, und zwar von vier Sorten, als Discantisten, Altisten, Tenoristen und Bassisten.
So nun die Chöre derer Kirchen Stücken recht, wie es sich gebühret, bestellet werden sollen, müßen die Vocalisten wiederum in 2erley sorten eingetheilet werden, als: Concertisten und Ripienisten.
Derer Concertisten sind ordinaire 4; auch wohl 5, 6, 7 biß 8; so man nemlich per choros musiciren will.
Derer Ripienisten müßen wenigstens auch achte seyn, nemlich zu ieder Stimme zwey.
Die Instrumentisten werden auch in verschiedene arthen eingetheilet, als: Violisten, Hautboisten, Fleutenisten, Trompetter und Paucker. NB. Zu denen Violisten gehören auch die, so die Violen, Violoncelli und Violons spielen.

derer Kirchen Stücken recht... bestellt werden sollen, müßen die Vocalisten wiederum in 2erley Sorten eingetheilet werden...

Die Anzahl derer Alumnorum Thomanae Scholae ist 55. Diese 55 werden eingetheilet in 4 Chöre, nach denen 4 Kirchen, worinne sie teils musiciren, theils motetten und theils Chorale singen müßen... zu S. Thomä, S. Nicolai und der Neuen Kirche müßen die Schüler alle musikalisch seyn. In die Peters-Kirche... die, so keine Music verstehen, sondern nur nothdürfftig einen Choral singen können.

Zu iedweden musicalischen Chor gehören wenigstens 3 Sopranisten, 3 Altisten, 3 Tenoristen und eben so viel Baßisten, damit, so etwa einer unpaß wird (wie... offte geschieht, und besonders bey itziger Jahres Zeit, da die recepte, so von dem Schul Medico in die Apothecke verschrieben werden, es ausweisen müßen) wenigstens eine 2 Chörige Motette gesungen werden kan...

Die Instrumental Music bestehet aus folgenden Stimmen; als: 2 auch wohl 3 zur Violino 1. / 2 biß 3 zur Violino 2. / 2 zur Viola 1 / 2 zur Viola 2 / 2 zum Violoncello. / 1 zum Violon. / 2 auch wohl nach Beschaffenheit 3 zu denen Hautbois. / 1 auch 2 zum Basson. / 3 zu denen Trompetten. / 1 zu denen Paucken, summa 18 Persohnen wenigstens zur Instrumental-Music...

Der Numerus derer zur Kirchen Music bestellten Persohnen bestehet aus 8 Persohnen, als 4 Stadt Pfeifern, 3 KunstGeigern und einem Gesellen... Jedoch ist zu consideriren, daß Sie theils emeriti, theils auch in keinem solchen exercitio sind, wie es wohl seyn solte... Und also fehlen folgende Höchstnöthige subjecta theils zur Verstärk-

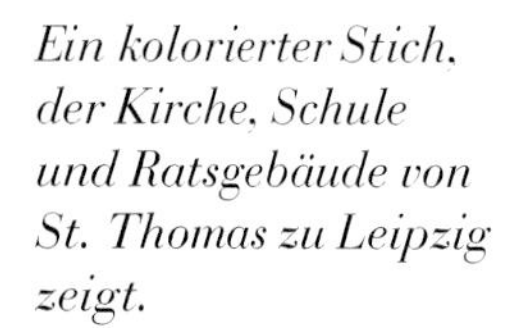

Ein kolorierter Stich, der Kirche, Schule und Ratsgebäude von St. Thomas zu Leipzig zeigt.

kung, theils zu ohnentbehrlichen Stimmen, nemlich: 2 Violisten zur 1 Violin / 2 Violisten zur 2 Violin. / 2 so die Viola spielen. / 2 Violoncellisten. / 1 Violonist. / 2 zu denen Flöten. Dieser sich zeigende Mangel hat bißhero zum Theil von denen Studiosis, meistens aber von denen Alumnis müßen ersetzet werden. Die Herrn Studiosi haben

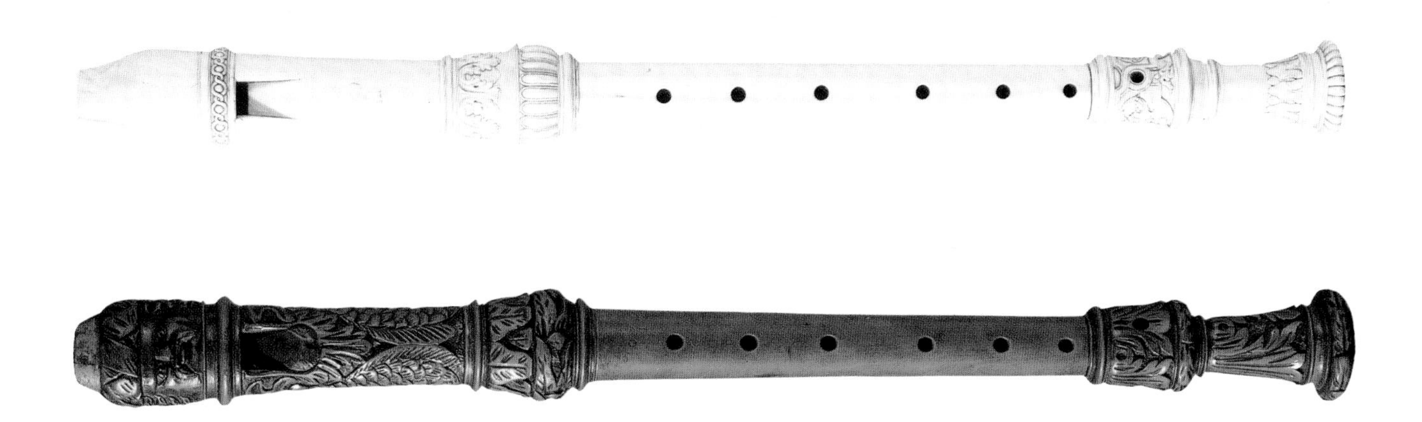

Oben: *Zwei Blasinstrumente des 18. Jahrhunderts: eine Sopranblockflöte aus Elfenbein* (oben) *und eine hölzerne Sopranblockflöte.*

sich auch darzu willig finden laßen, in Hoffnung, daß ein oder anderer mit der Zeit einige Ergötzligkeit bekommen ... werden. Da nun aber solches nicht geschehen, ... so hat hiemit sich auch die Willfährigkeit der Studiosorum verlohren; Denn wer wird ümsonst ... Dienste thun? ...

Hiernechst kann nicht unberühret bleiben, daß durch bisherige reception so vieler untüchtigen und zur music sich gar nicht schickende Knaben, die Music nothwendig sich hat vergeringern und ins abnehmen gerathen müßen. Denn es gar wohl zu begreiffen, daß ein Knabe, so ... nicht ein mahl eine secundam im Halse formiren kan, ... niemahln zur Music zu gebrauchen sey. Und die jenigen, so zwar einige principia mit ... bringen, doch nicht so gleich, als es wohl erfordert wird, zu gebrauchen seyn ...

Der Schluß ist demnach leicht zu finden, daß ... mir die Kräffte benommen werden, die Music in beßeren Stand zu setzen ...

Joh: Seb: Bach.

(Der Brief endet mit einer Liste von Knaben mit einer offenen Bewertung ihrer musikalischen Fähigkeiten.)

Dieses außergewöhnliche Dokument wurde hier so ausführlich zitiert, weil es nicht nur den Streit zwischen Bach und der Obrigkeit beleuchtet, sondern auch faszinierende Details über das musikalische Leben in einer deutschen Stadt des 18. Jahrhunderts enthält. Bachs Kommentar über die Qualität der Sänger geht auf die Erfahrungen zurück, die er im selben Jahr gemacht hatte, als er Bewerber für neun freie Plätze an der Thomasschule vorsingen ließ. Er hörte sich 23 Kandidaten an und verwarf elf als völlig unbrauchbar. Der Rat nahm daraufhin von diesen hoffnungslosen Fällen vier auf sowie fünf weitere, die Bach überhaupt nicht gehört, und nur fünf von denen, die er ausgewählt hatte. Man kann es dem Kantor kaum verdenken, daß er sich übergangen fühlte!

Heute mag es absurd erscheinen, daß ein bedeutender Komponist wie Bach sich mit so schlechten musikalischen Gegebenheiten abfinden mußte, aber wir sollten nicht sein eigenes widerspenstiges und »unverbesserliches« Benehmen vergessen sowie die Tatsache, daß im Stadtrat viele einen Lehrer und nicht einen Musiker zum Thomaskantor hatten machen wollen. Der Streit jedenfalls hatte zur Folge, daß Bach einige Nebeneinkünfte aus seiner Position gestrichen wurden. Das zweite unvermeidliche Resultat war die erneute Suche ihres Kantors nach einer besseren Stellung.

Zwei Monate später schrieb Bach an Georg Erdmann, seinen alten Schulfreund aus Ohrdrufer Tagen, der jetzt in Danzig lebte und juristischer Berater des russischen Hofes war. Ihm gegenüber konnte er sich frei über seine Situation äußern:

> ... so fügte es Gott, daß zu hiesigem Directore Musices und Cantore an der Thomas Schule vociret wurde. Ob es mir nunzwar anfänglich gar nicht anständig seyn wolte, aus einem Capellmeister ein Cantor zu werden, Weßweg auch meine resolution auf ein viertel Jahr trainirete, jedoch wurde mir diese Station dermaßen favorable beschrieben, daß endlich /: zumahle da meine Söhne denen studiis zu incliniren schienen:/ es in des Höchsten Namen wagete, u. mich nacher Leipzig begabe, meine Probe ablegete, u. so dann die Mutation vornahme. Hirselbst bin nun nach Gottes Willen annoch beständig. Da aber nun 1) finde, daß dieser Dienst bey weiten nicht so erklecklich, als man ihn mir beschrieben, 2) viele accidentia dieser Station entgangen, 3) ein sehr theurer Orth u. 4) eine wunderliche und der Music wenig ergebene Obrigkeit ist, mithin fast in stetem Verdruß, Neid und Verfolgung leben muß, als werde genöthiget werden mit des Höchsten Beistand meine Fortun anderweitig zu suchen ...

Der Brief gipfelte darin, daß Bach in der Hoffnung, in Danzig eine passende, gutbezahlte Stellung zu finden, Erdmann bat, dort ein gutes Wort für ihn einzulegen. (Übrigens beklagte er sich noch bei seinem alten Freund über die schwankenden Einkünfte aus Beerdigungen in Leipzig, die geringer würden, wenn »eine gesunde Lufft« ist!) Was immer der Bitte an den Freund zugrundelag – wir wissen nicht, ob Bach in Danzig einen bestimmten Posten im Auge hatte und ob Erdmann überhaupt antwortete –, er sollte Leipzig nie verlassen.

Zuletzt wollen wir noch ein Stück aus dem letzten Abschnitt dieses Briefes zitieren, in dem Bach ein charmantes und intimes Porträt seiner Familie zeichnet:

> Mein ältester Sohn ist ein studiosus Juris, die andern beyde frequentiren noch einer primam und der andere 2dam classem, u. die älteste Tochter ist auch noch unverheurathet. Die Kinder anderer Ehe sind noch klein, und der Knabe erstgeb. 6 Jahr alt. Insgesamt aber sind sie gebohrne Musici u. kan versichern, daß schon ein Concert vocaliter u. instrumentaliter mit meiner Familie formiren kan, zumahle da meine itzige Frau gar einen saubern Soprano singet, und auch meine älteste Tochter nicht schlimm einschläget.

Rechts außen: *Das Innere der Leipziger Thomaskirche.*

Canon triplex a 6 V

DIE LETZTEN JAHRE

Bachs letzte Jahre waren von weiteren Kontroversen und Streitigkeiten, zunehmend privaten Kompositionen, aber wenig Anerkennung durch seine Zeitgenossen gekennzeichnet.

Das Jahr 1730 scheint einen Wendepunkt in Bachs Laufbahn zu markieren. Die Flut neuer Kirchenmusik, die er in seiner ersten Zeit in Leipzig geschaffen hatte, versiegte danach fast völlig. Offenbar nahm sein Interesse an geistlicher Musik drastisch ab, aber wir müssen bedenken, daß er nie ausschließlich auf der Empore zuhause war. Insgesamt widmete er der Kirchenmusik nur ein Viertel seiner Kreativität.

Detail der Bemalung eines Klavichords, das Bach gehörte.

Gegenüber: *Bach-Porträt von Elias Haussmann, 1746.*

DAS COLLEGIUM MUSICUM

Im Frühjahr 1729 fand Bach ein neues musikalisches Betätigungsfeld, als er die Leitung des Leipziger Collegium Musicum übernahm, das Telemann 1702 gegründet hatte, als er Organist an der Neuen Kirche war. Diese Vereinigung, zu der Studenten, professionelle Musiker und vermutlich ältere Mitglieder aus Bachs eigener Familie gehörten, traf sich freitagabends in Zimmermanns Kaffeehaus in der Catharinenstraße – und im Sommer in seinem Vorstadtgarten. Das Collegium Musicum sorgte bei Veranstaltungen der Universität oder des Fürstenhauses oft für die Musik, zu der Bach manchmal spezielle Kompositionen beisteuerte.

Zweifellos wurden bei den wöchentlichen Zusammenkünften ältere Kammermusik von Bach, Orchestersuiten und andere Stücke gespielt, die er zum Teil noch in Köthen verfaßt hatte. Seine neuen Werke waren jetzt jedoch Konzerte, die heute überwiegend in der Bearbeitung für Tasteninstrumente und Streicher vorliegen, ursprünglich aber für Violin- und Oboe-Solisten gedacht waren. Diese Cembalokonzerte – manchmal für zwei oder drei Klaviaturen – markieren den Beginn eines Genres, das sich bald in den populären Klavierkonzerten des Klassizismus und der Romantik der nächsten hundert Jahre zu voller Blüte entfalten sollte. Trotz ihrer hohen Qualität erreichten diese Bach'schen Werke kein breiteres Publikum als das Leipziger. Seine berühmte *Suite in h-Moll*, im französischen Stil geschrieben, folgte erst in den 1730ern.

Es gab jedoch auch gesungene Musik, und wahrscheinlich war es in Zimmermanns Kaffeehaus, wo Bachs humoristische Kantaten, *Der Wettstreit zwischen Phoebus und Pan* und die *Kaffeekantate*, zum erstenmal vorgetragen wurden. Erstere, deren Libretto von Picander stammt, Bachs ständigem Mitarbeiter, ist eine satirische Attacke auf Musikkritiker und musikalische Moden: Midas lauscht einem Sangeswettstreit zwischen Phoebus und Pan und

Auszug aus Bachs Manuskript der Kaffeekantate.

bekommt Eselsohren, weil er eine im oberflächlich modischen Stil gesungene Arie von Pan als wahre Kunst beurteilt. Wir können wohl annehmen, daß diese Belohnung für Midas durchaus in Bachs Sinne war.

In der *Kaffeekantate*, die 1734 oder 1735 das erste Mal aufgeführt wurde, geht es um eine Kaffeesüchtige (das Thema gefiel zweifellos Zimmermann), die einwilligt, von dem Getränk abzulassen, wenn der Vater ihrer Heirat zustimmt – ihm aber auch das Versprechen entlockt, ihr und dem künftigen Ehemann den Kaffeegenuß zu erlauben. Diese Kantaten sind die leichtesten, amüsantesten Stücke von Bach, die uns überliefert sind.

1742 schrieb er dann noch die sogenannte *Bauernkantate* zu Ehren des neuen Besitzers eines Gutes oder Bauernhofs in der Nähe von Leipzig. Er verwendete (für ihn einmalig) dabei volkstümliche Elemente und zeigte somit, wie bewandert er in den musikalischen Idiomen seiner Zeit war.

In dieser Periode entstanden auch ein paar neue geistliche Werke, aber öfter noch bearbeitete Bach seine älteren Kantaten neu. Zwischen dem 25. Dezember 1734 und dem 6. Januar (Dreikönigstag) 1735 wurde an mehreren Tagen zum ersten Mal das *Weihnachtsoratorium* vorgetragen. Es zeichnet sich eher durch Zartheit als durch Dramatik oder Leidenschaftlichkeit aus.

EIN NEUER REKTOR

Der alte, unfähige Rektor der Thomasschule, Ernesti, starb im Herbst 1729 und wurde durch Johann Matthias Gesner ersetzt, einen jüngeren und aufgeklärten Mann, den Bach aus Weimar kannte. Er bewunderte Bachs Talent und teilte seine Ansicht über den Raum, den die Musik im schulischen Leben einnehmen müßte. Seiner Meinung nach hätten die Vorfahren gewollt, daß die Schule eine Stätte der Musik sei, die alle Kirchen mit Gesang versorgt. Gesner ermunterte die Jungen zum Einstudieren der Musik, indem er sagte, das Lobpreisen Gottes im

Johann Matthias Gesner (1691–1761), der aufgeschlossene Rektor der Thomasschule.

Porträt (1760) von Wilhelm Friedemann Bach (1710–84).

Gesang würde sie den himmlischen Chören näherbringen. (Diejenigen, denen diese Logik nicht einleuchtete, wurden durch Geldbußen überzeugt.) Außerdem verschaffte er Bach die Nebeneinkünfte wieder, die der Rat ihm entzogen hatte, und entband ihn offiziell von allen Unterrichtspflichten außer im Fach Musik. Er war Bach sichtlich zugetan und hat uns folgende kleine Skizze hinterlassen:

> ... nicht etwa nur eine Melodie singt ... und seinen eigenen Part hält, sondern auf alle zugleich achtet und von 30 oder gar 40 Musizierenden diesen durch ein Kopfnikken, den nächsten durch Aufstampfen mit dem Fuß, den dritten mit drohendem Finger zu Rhythmus und Takt anhält, dem einen in hoher, dem andern in tiefer, dem dritten in mittlerer Lage seinen Ton angibt; wie er ganz allein mitten im lautesten Spiel der Musiker, obwohl er selbst den schwierigsten Part hat, doch sofort merkt, wenn irgendwo etwas nicht stimmt; wie er alle zusammenhält und überall abhilft und wenn es irgendwo schwankt, die Sicherheit wiederherstellt; wie er den Takt in allen Gliedern fühlt, die Harmonien alle mit scharfem Ohre prüft, allein alle Stimmen mit der eigenen begrenzten Kehle hervorbringt.

Gesners Anwesenheit machte sich bald darin bemerkbar, daß er begann, die Schule zu vergrößern. Durch zwei zusätzliche Stockwerke wurde endlich die Raumnot gemildert. 1732 eröffnete er die umgebaute Schule wieder. Die Bachs hatten während der Umbauarbeiten ein Haus in der Hainstraße beziehen müssen.

Zwischen 1730 und 1742 bekamen sie noch sieben Kinder, von denen jedoch drei im Kleinkindalter starben. Von den anderen war Johann Christoph Friedrich später am Hof von Bückeburg tätig, und Johann Christian wurde der sogenannte »Londoner« Bach. Bachs ältester Sohn Wilhelm Friedemann schloß 1733 sein Studium ab und erhielt mit 23 Jahren eine Stelle als Organist an der Sophienkirche in Dresden. Zu dieser Zeit pflegte auch der Vater seine Dresdener Kontakte; Sebastian gab selbst Orgelkonzerte in der Sophienkirche und leitete dort Aufführungen des Collegium Musicum.

HOFKOMPONIST

Als 1733 Kurfürst Friedrich August I. starb, schrieb Bach ein Kyrie und Gloria, die später in die *Messe in h-Moll* aufgenommen wurden, und präsentierte sie seinem Nachfolger Friedrich August II. Es war ein strategischer Schachzug: Bach wußte, daß dem römisch-katholischen Dresdener Hof eine Messe besonders willkommen sein würde, und fügte der Musik eine Bittschrift hinzu, in der er seine Probleme in Leipzig umriß:

> Ich habe einige Jahre und bis daher bey den beyden Haupt-Kirchen in Leipzig das Directorium in der Music gehabt, darbey aber ein und andere Bekränckung unverschulde-

Links: *Kurfürst Friedrich August I. von Sachsen.*

Oben: *Johann Christian Bach (1735–82) in mittleren Jahren.*

> terweise auch iezuweilen eine Verminderung derer ... Accidentien empfinden müssen, welches aber gänzlich nachbleiben möchte, daferne Ew. Königliche Hoheit mir die Gnade erweisen und ein Praedikat von Dero Hoff-Capelle conferiren ...

Bachs Plan ging jedoch nicht auf; er erhielt keinen neuen Titel, obwohl er auch weiterhin Stücke zu Ehren der fürstlichen Familie verfaßte, darunter eine Abendmusik zum Jahrestag der Königswahl, durch die der Kurfürst die polnische Krone zusätzlich zu seinem sächsischen Kurfürstenhut erlangt hatte. Sie wurde 1734 bei dessen Besuch in Leipzig vorgetragen. Das Orchester präsentierte den hohen Gästen ein Konzert, das 600 Studenten mit Fackeln beleuchteten.

Im September 1736 bewarb sich Bach beim Dresdener Hofe erneut um einen Titel und hatte diesmal Erfolg: er wurde zum Hofkomponisten ernannt und begann bald, seine Briefe entsprechend zu signieren.

MEHR KONTROVERSEN

Im Jahre 1734, vier Jahre nur, nachdem er den Rektorposten übernommen hatte, verließ Gesner die Thomasschule und ging als Professor an die Universität Göttingen. Sein Nachfolger wurde Johann August Ernesti (1707–81) – kein Verwandter von Gesners Vorgänger. Der erst Siebenundzwanzigjährige repräsentierte die neuen Ideen der Aufklärung und plante, aus

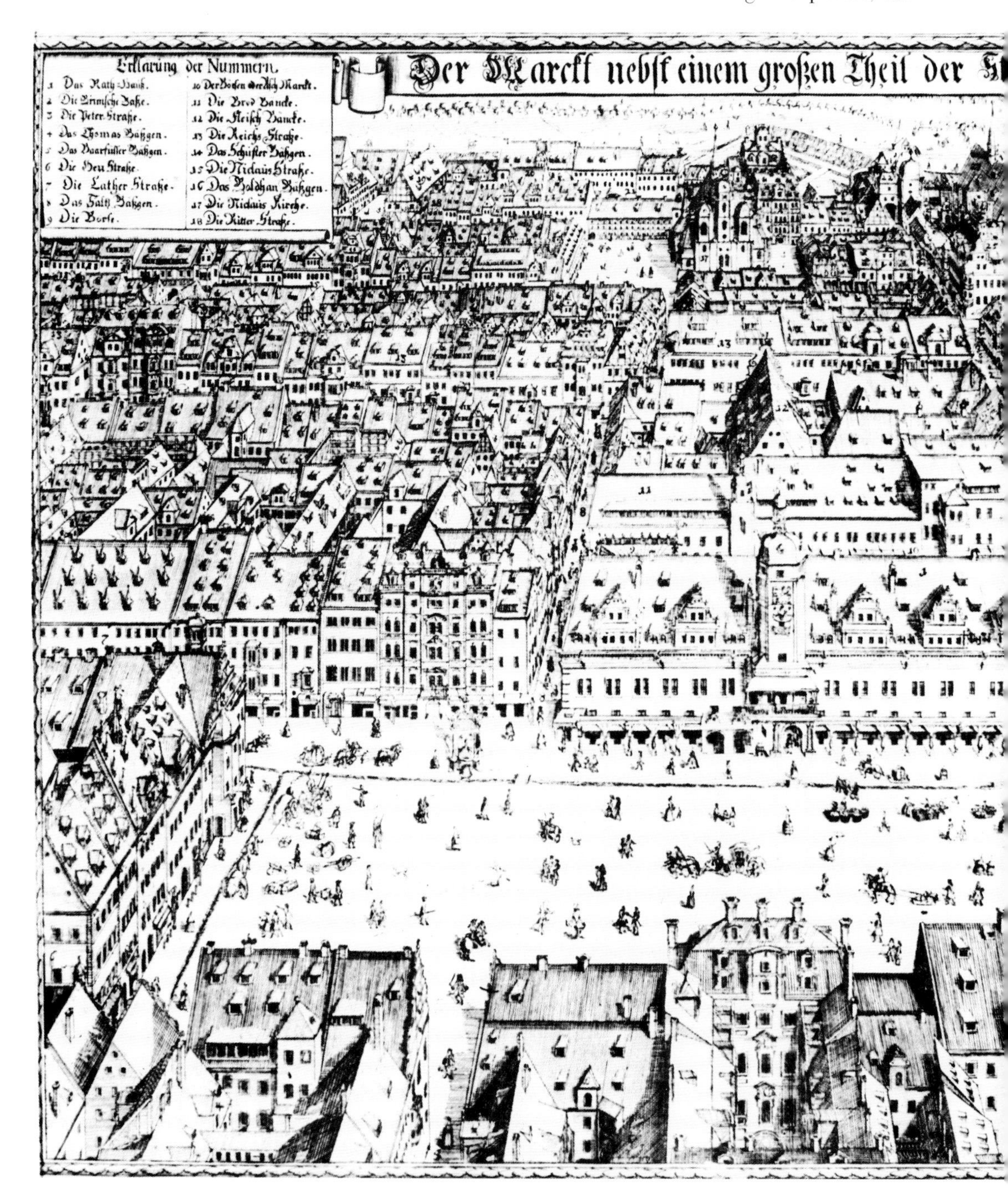

der Thomasschule eine fortschrittliche Akademie zu machen. Musik paßte nicht in sein Konzept; angeblich sagte er zu Knaben, die er beim Violinspiel vorfand: »Du willst doch sicherlich nicht auch so ein Kaschemmenfiedler werden?«

Obgleich Bach zunächst gut mit dem jungen Rektor auskam und ihn 1735 sogar bat, Pate für Johann Christian zu werden, mußten ihre entgegengesetzten Ansichten über Musik schließlich zum Konflikt führen. Der Ärger begann 1736. Der Aufsichtsschüler hatte einen Jungen so hart geschlagen, daß Ernesti ihn von der Schule verwies. Dann ernannte er sofort einen neuen Präfekten, ohne seinen Kantor zu konsultieren. Für Bach war es aber sehr wichtig, daß die Präfekten musikalisch waren, damit sie ihm helfen konnten, den musikalischen Arbeitsplan für die vier Stadtkirchen einzuhalten.

Wie gewöhnlich kam es zu heftigen gegenseitigen Beschuldigungen und sogar zu Handgreiflichkeiten, als Bach den (völlig unmusikalischen) von Ernesti gewählten Aufsichtsschüler gewaltsam vom Chor entfernte. Erst im April 1737 äußerte sich der Stadtrat zu der Angelegenheit und gab dem Rektor und dem Kantor etwa zu gleichen Teilen die Schuld. Bach war damit nicht zufrieden und fuhr fort, den Fall zu erörtern, wobei er sich sogar direkt an Kurfürst Friedrich August wandte.

Während Ernesti sicher zu selbstherrlich war, kehrte Bach seine übliche verbissene Streitlust heraus. Wieder einmal sehen wir, wie hartnäckig er verteidigte, was er für sein Recht hielt, dafür alle Argumente, auch ent-

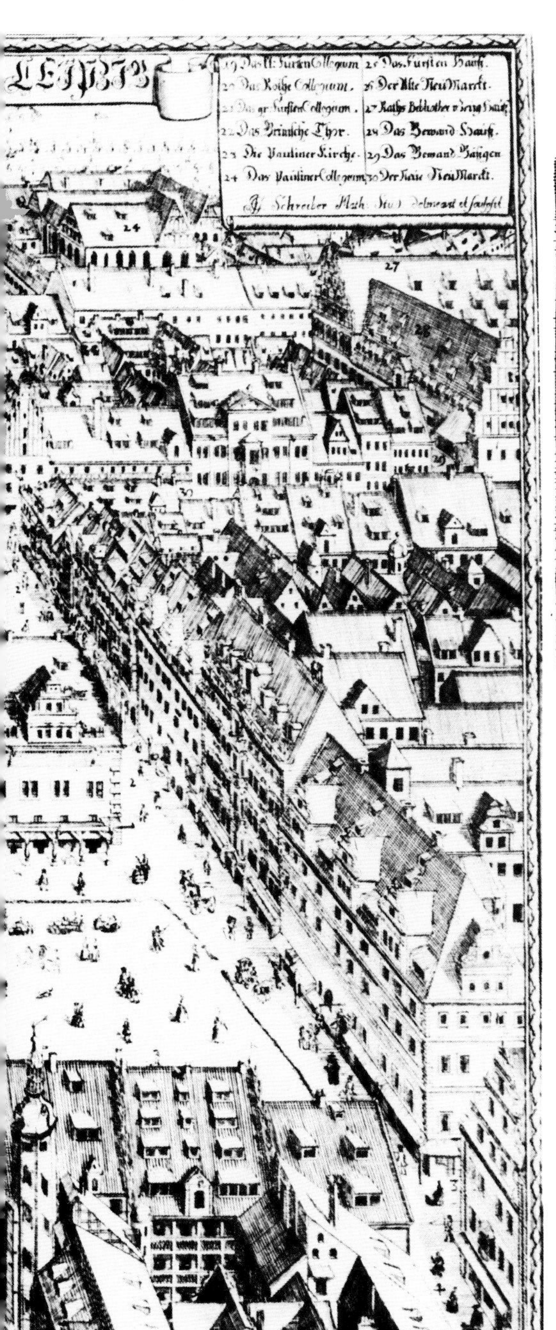

Links: *Blick von oben auf den Leipziger Marktplatz.*

Oben: *Johann August Ernesti (1707–81), Rektor der Thomasschule.*

schieden antiquierte Statuten, hinzuzog und seine eigentlichen Pflichten vernachlässigte – der Konflikt hatte sich erst daran entzündet, daß Bach es versäumt hatte, bei einem Hochzeitskonzert persönlich mitzuwirken.

Kaum war die Affäre beigelegt, machte Bachs Sohn Johann Gottfried dem Vater Kummer. 1735 hatte ihm Sebastian zu einer Organistenstelle an der Mühlhausener Marienkirche verholfen, aber Johann Gottfried verschuldete sich, ließ den Vater für seine Schulden aufkommen und benutzte dessen Einfluß, um sich an der Jacobikirche in Sangerhausen einen anderen Organistenposten zu verschaffen. Seine Lektion hatte er jedoch nicht gelernt, da er sich nur noch tiefer verschuldete und floh. Er lebte danach nicht mehr lange, denn kurz nach seinem Eintritt in die Jenaer Universität erlag er 1739 einem Fieber.

Eine gemütliche Familienszene im Bach'schen Haushalt, wie sie sich T. E. Rosenthal, ein Maler des späten 19. Jahrhunderts, vorstellte.

Über den Bach'schen Haushalt in diesen Jahren erfahren wir etwas mehr durch Bachs Neffen, den dreiunddreißigjährigen Johann Elias, der 1737 in die Familie kam und dort als Sebastians Sekretär und als Lehrer der jüngeren Kinder tätig war. In seinen Briefen äußerte er sich auch über die Familienmitglieder: Anna Magdalena hatte er sichtlich gern, denn er bestellte mehrmals Nelken als Geschenk für sie und suchte einen Hänfling zu kaufen, der für sie singen sollte. Außerdem bat er seine Eltern, als Dank für seine Gastgeber süßen Wein nach Leipzig zu schicken.

Trotz dieser offenkundigen häuslichen Zufriedenheit gingen die öffentlichen Kontroversen weiter. Im Mai 1737 griff der Komponist und Musiktheoretiker Johann Adolf Scheibe in seiner Hamburger Zeitschrift *Der Critische Musicus* Bach anonym an, indem er ihn beschuldigte, den Kontakt mit zeitgenössischen

Musikströmungen verloren zu haben. Bachs Talent als Instrumentalist und seine technischen Fähigkeiten als Musiker erkannte er zwar an, aber er tadelte seine allzu zahlreichen Ausschmückungen und Kontrapunkte als Symptome einer angeblich pompösen und schwerfälligen Musik:

> Dieser grosse Mann würde die Bewunderung gantzer Nationen seyn, wenn er mehr Annehmlichkeit hätte, und wenn er nicht seinen Stücken durch ein schwülstiges und verworrenes Wesen das Natürliche entzöge, und ihre Schönheit durch allzugrosse Kunst verdunkelte. Weil er nach seinen Fingern urtheilt, so sind seine Stücke überaus schwer zu spielen; denn er verlangt die Sänger und Instrumentalisten sollten durch ihre Kehle und Instrumente eben das machen, was er auf dem Clavier spielen kann. Dieses aber ist unmöglich.

Bach antwortete selbst nicht auf diesen Angriff, wurde aber von J. A. Birnbaum verteidigt, einem Dozenten der Leipziger Universität, und später von Christoph Lorenz Mizler, dem Gründer der Societät der musikalischen Wissenschaften. Manche vermuteten hinter Scheibes Attacke ein persönliches Motiv, nämlich Rache, weil ihm einmal ein Organistenposten verweigert wurde, als Bach zum Prüfungskomitee gehörte. Aber nur ein paar Jahre darauf pries er Bachs *Italienisches Konzert* als ein Stück, dem alle großen Komponisten nacheifern sollten.

Tatsächlich drückte Scheibe mit seiner Kritik im wesentlichen nur die Meinung der Mehrheit aus – daß nämlich Bachs komplizierte musikalische Gebilde mit ihren Ornamenten und Kontrapunkten allmählich etwas veraltet und provinziell wirkten. Eine neue musikalische Ära dämmerte herauf.

DIE SPÄTWERKE

Bach schrieb jetzt nur noch wenig für die Öffentlichkeit. Ob er erkannt hatte, daß seine Kompositionen nicht mehr dem Zeitgeschmack entsprachen, wis-

Potsdam im 18. Jahrhundert, als Friedrich der Große dort Hof hielt.

sen wir nicht. Seine letzten Werke waren jedenfalls privater Natur, was übrigens auch für Beethoven gilt. Als es Ostern 1739 zu einem Streit um die Passion kam, erklärte Bach, das Vortragen der Passionsmusik sei ihm »nur eine Last«. Er komponierte lediglich für sich selbst – nicht für die Kirche, die Stadt, das Collegium Musicum oder sonst jemanden.

Seinen Pflichten als Kantor kam er weiterhin nach, delegierte aber möglichst viel. Er fuhr auch fort, einzelne Schüler zu unterrichten, und nahm besonders Johann Christoph Altnikol unter seine Fittiche, der später seine Tochter Elisabeth Juliana Friederika heiratete. Ebenso inspizierte Bach nach wie vor Orgeln, zum Beispiel 1743 in der Leipziger Johanniskirche und 1747 in der Thomaskirche sowie andere außerhalb der Stadt. Seine Gutachten fielen nicht immer positiv aus; so schrieb er über die Orgel von St. Wenzeslaus in Naumburg, es wäre notwendig, den Erbauer zu bitten, die gesamte Orgel noch einmal Register für Register durchzugehen, um eine bessere Qualität in der Abstimmung der Tonarten und der einzelnen Register zu erzielen.

DIE REISE NACH BERLIN

Im Jahre 1747 unternahm Bach eine seiner berühmtesten Reisen. Sein Sohn Carl Philipp Emanuel war 1740 bei Friedrich dem Großen Cembalist geworden, und nun erwartete seine Frau ihr zweites Kind. Anscheinend hatte der König Emanuel schon gedrängt, seinen Vater nach Potsdam zu holen: der Ruhm des alten Mannes war offenbar auch bis zu ihm gedrungen. So hatte Johann Sebastian zwei gute Gründe, sich mit Wilhelm Friedemann auf den Weg zum Hofe Friedrichs in der Nähe Berlins zu machen.

Wilhelm Friedemann schilderte Bachs Biographen Forkel den Besuch später so:

> Der König hatte um diese Zeit alle Abende ein Cammerconcert, worin er meistens selbst einige Concerte auf der Flöte bließ. Eines Abends wurde ihm, als er eben seine Flöte zurecht machte, und seine Musiker schon versammelt waren, ... der geschriebene Rapport von angekommenen Frem-

Rechts: *Friedrich der Große von Preußen (1712–86).*

Rechts: *Friedrich der Große spielt Flöte bei einem Kammerkonzert im Potsdamer Schloß Sanssouci.*

Unten: *Bach beim Orgelspiel für Friedrich den Großen.*

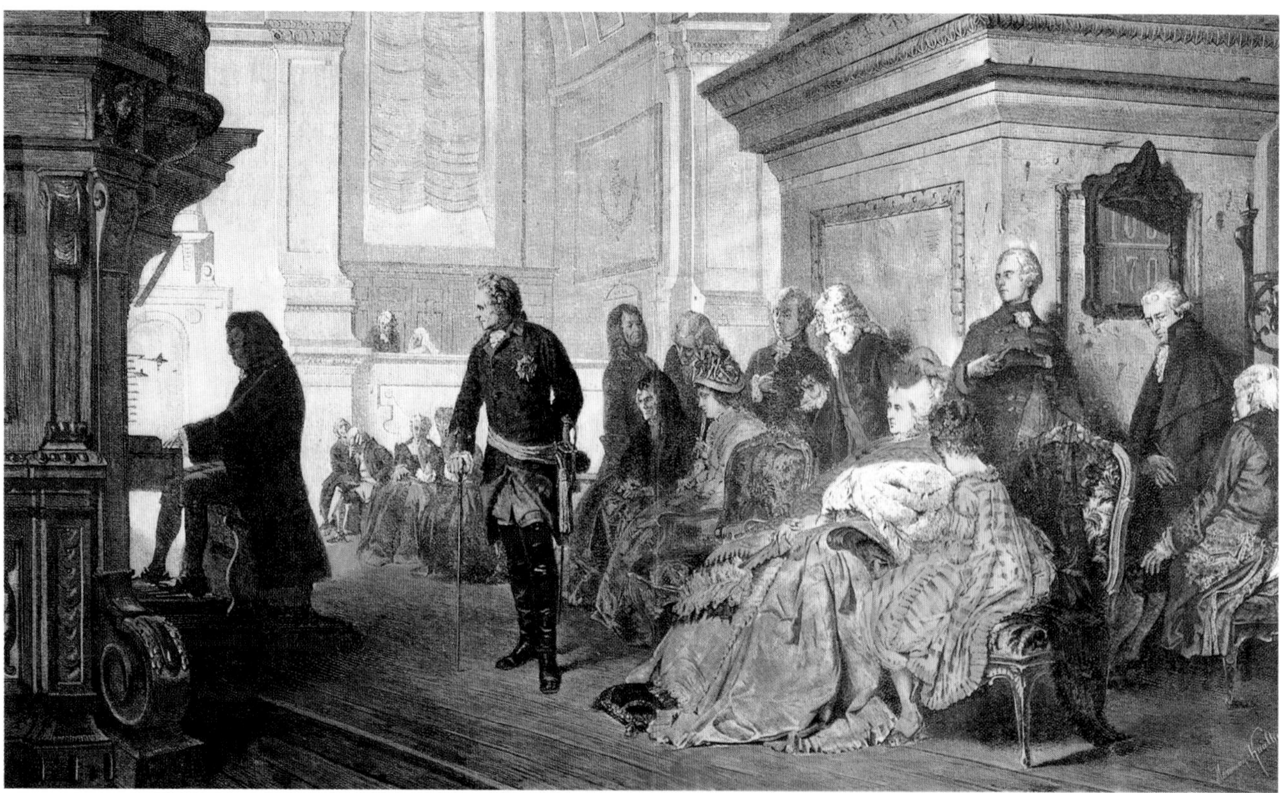

Das Rokokoschloß Sanssouci in Potsdam.

den gebracht. Mit der Flöte in der Hand übersah er das Papier, drehte sich aber sogleich gegen die versammelten Capellisten und sagte mit einer Art von Unruhe: Meine Herren, der alte Bach ist gekommen! Die Flöte wurde hierauf weggelegt, und der alte Bach, der in der Wohnung seines Sohns abgetreten war, sogleich auf das Schloß beordert...

...der König gab für diesen Abend sein Flötenconcert auf, nöthigte aber den damahls schon sogenannten alten Bach, seine in mehreren Zimmern des Schlosses herumstehenden Silbermannische Fortepiano zu probiren. Die Capellisten gingen von Zimmer zu Zimmer mit, und Bach mußte überall probiren und fantasiren. Nachdem er einige Zeit probirt und fantasirt hatte, bat er sich vom König ein Fugenthema aus, um es sogleich ohne alle Vorbereitung auszuführen...

Bach wurde... an den folgenden Tagen... eben so zu allen in Potsdam befindlichen Orgeln geführt, wie er vorher zu allen Silbermannischen Fortepiano geführt worden war. Nach seiner Zurückkunft nach Leipzig arbeitete er das vom König erhaltene Thema 3- und 6stimmig aus, fügte verschiedene kanonische Kunststücke hinzu, ließ es unter dem Titel: Musicalisches Opfer, in Kupfer stechen, und dedicirte es dem Erfinder desselben.

Für sich selbst ließ Bach 100 Exemplare dieses Werks drucken, die er an Freunde verschenkte oder für je einen Taler verkaufte. Das *Musikalische Opfer* besteht aus einer dreistimmigen Fuge, einer sechsstimmigen Fuge, zweimal fünf Kanons und einer Sonate mit vier Sätzen. Ein speziell gestochenes Exemplar wurde nach Potsdam gesandt, aber wir wissen nicht, ob der König Bach dafür, wie es üblich war, entlohnte.

Im selben Jahr trat Bach endlich der Societät der musikalischen Wissenschaften bei, die der Universalgelehrte Lorenz Christoph Mizler, einst Schüler Bachs, gegründet hatte. Dieser Gesellschaft gehörten auch die Komponisten Telemann, Händel und Graun an, und Bach schrieb einige seiner Spätwerke vermutlich in der Absicht, sie unter den Mitgliedern zirkulieren zu lassen. Manche seiner mathematisch komplexen späten Stücke müssen diese Gruppe von musikalischen Intellektuellen beeindruckt haben.

DIE LETZTEN WERKE

Viel Zeit verbrachte Bach im Alter damit, manche seiner früheren Stücke neu zu bearbeiten und in eine endgültige Form zu bringen. Er arbeitete an einem Folgeband von *Das Wohltemperierte Clavier*, obwohl der erste Band noch nicht erschienen war; der zweite mit weiteren 24 Präludien und Fugen wurde 1742 fertiggestellt.

Bach publizierte außerdem Musik für Tasteninstrumente; eine Reihe von *Clavier-Übungen*, mit denen er bereits in den 1720er Jahren begonnen hatte, gipfelte in den 30 *Goldberg-Variationen*, benannt nach einem Bach-Schüler, der beim Grafen von Keyserlingk, dem Auftraggeber und russischen Gesandten am Dresdener Hofe, in Diensten stand. Sie zeichnen sich sowohl durch ihre Schönheit als auch durch das erforderliche virtuose Spiel aus und lassen einen Geist erkennen, der geradezu besessen von mathematischer Regelmäßigkeit und Präzision war. Jedes dritte Stück war ein Kanon (oder »Rundgesang«) von großer Originalität. (Bach war mit dem Ergebnis offenbar zufrieden; auf dem Porträt, das Elias Gottlieb Haussmann 1746 von ihm malte, hält Bach wie zum Beweis einen der sechsstimmigen Kanons in der Hand.)

Die *Messe in h-Moll* wurde durch das Zusammenfügen früher entstandener Teile um 1749 vollendet. Dazu gehörten das *Sanctus*, das Weihnachten 1724 in der Thomaskirche zum ersten Mal vorgetragen worden war, ein *Agnus Dei*, ursprünglich als Arie für das Himmelfahrtsoratorium 1735 komponiert, sowie eine Neufassung des Credo. Dieses Unternehmen ist ein weiteres Beispiel für Bachs Entschlossenheit, »aufzuräumen«.

Ab etwa 1745 beschäftigte sich Bach mit der *Kunst der Fuge*, die jedoch bei seinem Tod noch nicht vollendet war und anscheinend eher zur Instruktion und für Rätselfreunde geschrieben war als zum Spielen – die Musik ist für kein bestimmtes Instrument bearbeitet.

TOD

Bereits im Juni 1749 hatte der leitende Minister in Dresden veranlaßt, daß ein neuer Kandidat als Kantor ausgewählt würde, für den Fall, »wenn ... Bach versterben sollte«. Wir wissen nicht, ob dies bedeutet,

Titelblatt der ersten von Bachs Clavier-Übungen, *1726.*

Clavier Ubung
bestehend in
Præludien, Allemanden, Couranten, Sarabanden, Giquen,
Menuetten, und andern Galanterien;
Denen Liebhabern zur Gemüths Ergoezung verfertiget
von
Johann Sebastian Bach,
Hochfürstl. Anhalt-Cöthnischen würcklichen Capellmeister und
Directore Chori Musici Lipsiensis.
Partita I.
In Verlegung des Autoris
1726.

Bach mit 60 (1745).

daß es dem alten Mann schon schlecht ging, obwohl es wenig Hinweise auf Krankheiten in seinem Leben gibt. Allerdings nahm sein Sehvermögen im nächsten Jahr rapide ab, und im März wurde sein grauer Star von dem berühmten englischen Oculisten John Taylor (der auch Händel operierte) behandelt. Eine zweite Operation wurde ein paar Tage später notwendig, aber das Resultat war völlige Blindheit.

Bach lebte noch einige Zeit und starb dann, wohl nach einem Schlaganfall, auf den ein schweres Fieber folgte, am 28. Juli 1750 im Alter von 65 Jahren. Drei Tage danach wurde er auf dem Leipziger Johannisfriedhof beerdigt.

Selbst bei seinem Tod wollten die Leipziger das Format ihres Kantors nicht anerkennen. »Bach war sicher ein guter Musiker, aber kein Schullehrer«, nörgelten sie und beschlossen, nie wieder den Fehler zu begehen, einen ausgebildeten Musiker einzustellen: »Die Schule

Gegenüber: *Bach-Gedenkstätte in der Leipziger Thomaskirche.*

braucht einen Kantor – und keinen Kapellmeister.«

Da Bach ohne Testament gestorben war, mußte sein Besitz den gesetzlichen Bestimmungen gemäß aufgeteilt werden. Anna Magdalena erbat die Erlaubnis, weitere sechs Monate im Schulgebäude wohnen zu dürfen sowie die Zuweisung eines Vormunds für die fünf noch bei ihr lebenden Kinder. Das Verzeichnis über Bachs Nachlaß zeigt, daß er unter anderem fünf Clavecins, zwei Lautenwerke, zehn Streichinstrumente, eine Laute und ein Spinett besessen hatte.

Seine Musikmanuskripte gingen zu etwa gleichen Teilen an die ältesten Söhne; diejenigen, die der umsichtige Carl Philipp Emanuel bekam, blieben uns weitgehend erhalten, Wilhelm Friedemann hingegen gab vieles von seinem Erbteil aus der Hand. Anna Magdalena lebte, von ihren Stiefsöhnen nicht unterstützt, noch zehn Jahre und starb 1760 als arme Almosenfrau.

Mit Worten, die für einen Sohn ungewöhnlich warm waren, verfaßte Carl Philipp Emanuel 1754 zusammen mit Johann Friedrich Agricola ein Porträt seines Vaters. Sie stellten fest, daß Sebastian ein feines musikalisches Gehör hatte, daß er im Dirigieren »sehr accurat (war), und im Zeitmaaße, welches er gemeiniglich sehr lebhaft nahm, überaus sicher«. Über seine virtuose Spielweise schrieben sie: »Mit seinen zweenen Füssen konnte er auf dem Pedale solche Sätze ausführen, die manchem nicht ungeschikten Clavieristen mit fünf Fingern zu machen sauer genug werden würden.«

Über die Präzision seines Vaters beim Stimmen berichtete Emanuel: »Niemand konnte ihm seine Instrumente zu Dancke stimmen u. bekielen. Er that alles selbst... Er hörte die geringste falsche Note bey der stärcksten Besetzung... In seiner Jugend bis zum ziemlich herannahenden Alter spielte er die Violine rein u. durchdringend u. hielt dadurch das Orchester in einer größeren Ordnung, als er mit dem Flügel hätte ausrichten können.«

Carl Philipp Emanuel Bach (1714–88), der liebevolle Erinnerungen an seinen Vater hatte.

Von Bachs Musik ist uns zwar vieles erhalten, aber über sein Privatleben wissen wir wenig. Uns liegen nur ein zu seinen Lebzeiten gemaltes Porträt, nämlich das von Haussmann aus dem Jahre 1746, ein einziger persönlicher Brief sowie die Aufzeichnungen seines Neffen Elias vor. Ein Mann jedoch, der 20 Kinder zeugte, gern seine Pfeife rauchte und kaum einem Gast die Haustür wies, kann nicht so stur gewesen sein, wie viele ihn schildern – wenn wir auch zahlreiche Beispiele für seine Hartnäckigkeit haben, die leicht in Starrsinn umschlug, wenn er sich behindert fühlte. Allerdings sollten wir bedenken, daß Bach, wenn er öffentlich für seine Rechte kämpfte, wohl zweifellos streitlustig war, wir ihn privat und im Kreise der Familie aber wenig kennen. Es sind fast ausschließlich offizielle und juristische Texte, auf denen unsere Einschätzung beruht, da persönliche Dokumente kaum vorliegen.

Als Komponist beherrschte Bach die verschiedenen Arten von Musik, die er schrieb, recht umfassend, und seine Schöpfungen waren originell. Er war jedoch niemand, der neue Strukturen oder Stile erfand; in seinen letzten Jahren kann er sogar fast als stilistisch reaktionär gelten.

Bachs Werdegang gliedert sich zwar in mehrere Schritte, aber es ist vielleicht sinnvoll, sein Werk in drei Phasen zu unterteilen: den Zeitraum bis etwa 1713, in dem er, aufbauend auf deutschen Vorbildern, sozusagen seine musikalische Lehre absolvierte; 1713–40, seine größte Schaffensperiode; und die Spätzeit, in der seine Musik abstrakter und introspektiver wurde. Während seiner ganzen Laufbahn jedoch brachte er Kompositionen hervor, die dem Vortragenden technische Höchstleistungen und große Virtuosität abverlangen.

Der Name Bach starb natürlich nicht aus. Der letzte Bach, der unseres Wissens seinen Lebensunterhalt mit Musik verdiente, war Wilhelm Friedrich Ernst, der 1845 starb. Sebastians drei Söhne Wilhelm Friedemann, Carl Philipp Emanuel und Johann Christian waren zu ihrer Zeit erfolgreiche Musiker. Johann Christian trat in seinen Zwanzigern zum Katholizismus über, ging nach London und war dort eine Weile äußerst populär.

JOHANN
SEBASTIAN
BACH

IOH. SEB. BACH.

BACHS MUSIK

Die umfassende Hinterlassenschaft, die von Miniaturen für Soloinstrumente bis zu großen Chorälen reicht, hat spätere Bach-Interpreten zu möglichst großer Authentizität wie auch zu ganz modernen Versionen angeregt.

Wie die meisten Komponisten seiner Zeit war Johann Sebastian Bach nach seinem Tod schnell vergessen; schon in seinen letzten Jahren hatte ihn die Musikmode überholt.

Bereits 1780 jedoch begann sein Werk erneut Interesse zu wecken. Zunächst beschränkte sich diese Strömung auf Musiker- und Intellektuellenkreise in Wien; auch Haydn, Mozart und Beethoven wußten und lernten von Bachs Musik. Endlich wurde er als Komponist und nicht nur als Instrumentalist oder Lehrer anerkannt.

Im frühen 19. Jahrhundert fing einer der damals wegweisenden Chöre, die Berliner Singakademie, damit an, Motetten von Bach vorzutragen. 1829 dirigierte der junge Mendelssohn die erste posthume Aufführung der *Matthäuspassion* – allerdings mit etlichen Änderungen, um sie dem romantischen Zeitgeschmack eingängiger zu machen. In seinem eigenen Werk, besonders bei den Chören, war Mendelssohn von Bach beeinflußt; auch Brahms, Liszt und Bruckner ließen direkt oder indirekt erkennen, daß sie von Bach gelernt hatten.

Noch im 20. Jahrhundert wirkte Bach auf so unterschiedliche Komponisten wie Bartók, Webern, Schönberg, Strawinsky und Hindemith nach.

In den zweihundert Jahren seit seinem Tod hielt man Bach überwiegend für einen strengen Lutheraner, dessen Musik vor allem von Gottesfurcht und Spiritualität gekennzeichnet war, und bis vor kurzem galt er als typisch deutscher Komponist. Albert Schweitzer, der große Gelehrte und Orgelspieler, berühmt als der »Arzt von Lambarene«, sah in seiner Musik gar einen verschlüsselten Mystizismus, »ein Phänomen des Unbegreiflich-Realen«.

Albert Schweitzer (1875–1965), gefeierter Bach-Interpret und -Wissenschaftler.

Gegenüber: *Bach-Statue in seinem Geburtsort Eisenach.*

1900 erschien eine vollständige Ausgabe seiner existierenden Werke, mit deren Sammlung 1850 die deutsche Bach-Gesellschaft begonnen hatte. Erst mit einer wissenschaftlich besser begründeten Gesamtausgabe ab dem Jahre 1951 wurde Bach jedoch anerkannt als in erster Linie professioneller Musiker, der Termine einhalten, auf die unterschiedlichen Anforderungen von Kirche, Stadtrat oder Hof eingehen und jederzeit einspringen oder improvisieren mußte.

Diese neue Sichtweise führte auch zu einem neuen Streben nach Authentizität: die genaue

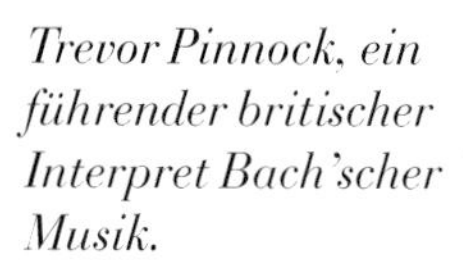

Trevor Pinnock, ein führender britischer Interpret Bach'scher Musik.

Beschaffenheit der Instrumente, der Partituren, der Ausschmückungen, der Spieltechnik und die Anzahl der Stimmen wurden sorgfältig recherchiert, damit der Vortrag möglichst so klingt, wie Bach es ursprünglich wohl beabsichtigte. Diese Konzerte haben eine Frische und Klarheit, die bei den riesigen Orchestern und Chören, an die das Publikum des 20. Jahrhunderts gewöhnt ist, häufig verlorengeht.

Die Brandenburgischen Konzerte

Wir wissen bereits, daß diese sechs berühmten Konzerte nach dem Markgrafen von Brandenburg benannt sind, dem Bach sie widmete. Der Komponist hatte sie aber anfangs nicht als zusammengehörige Gruppe konzipiert, und tatsächlich unterscheiden sie sich in ihrem musikalischen Aufbau, im Ausdruck und auch in der Instrumentierung sehr. Alle sechs folgen jedoch dem Vorbild Vivaldis, mit dessen Concerti sie durchaus zu vergleichen sind.

Das erste *Brandenburgische Konzert* ist für Streicher, Continuo, zwei Hörner, drei Oboen, Fagott und Violine – eine sehr ungewöhnliche Kombination. Sein Material aus den verschiedenen Klangfarben der einzelnen Instrumente zu gewinnen, war eine besondere Gabe Bachs, die im Vergleich mit Vivaldis weniger gewagten und vielleicht auch weniger einfühlsamen Besetzung eine verblüffende Wirkung hatte. Bach schlachtete für dieses erste Konzert überwiegend eigene ältere Stücke aus. Sein französischer Stil – ebenso wie die französische Widmung für den Markgrafen – sollte wahrscheinlich dem vornehmen Geschmack des Adligen schmeicheln.

Im zweiten Konzert versammelt Bach eine wiederum seltsam anmutende Gruppe von Soloinstrumenten – Violine, Oboe, Flöte und

Das English Concert bei einer Aufführung.

Die Akademie von St.-Martin-in-the-Fields beim Konzert.

Trompete. Gelegentlich wurde er für derartig unorthodoxe Kombinationen und vor allem für die mangelnde Ausgewogenheit zwischen der schrillen Trompete und der weich tönenden Flöte gerügt – aber auf Originalinstrumenten und in einem kleinen Raum ist der Klang nicht so unausgewogen, wie die Kritiker meinen.

Das dritte *Brandenburgische Konzert* unterscheidet sich dadurch von den beiden ersten, daß es nur Streicher – diese aber in Gruppen zu dreimal drei aufgeteilt – sowie den Basso continuo verlangt. Das vierte und das fünfte Konzert hingegen sind deutlich konventioneller; sie entstanden vermutlich etwas später als die übrigen. Im vierten sind die Soloinstrumente zwei Flöten und eine Violine, die bei Aufführungen oft im Vordergrund steht. Das fünfte Konzert ist für Violine und Querflöte, aber das Cembalo tritt hier aus seiner üblichen Rolle als Continuo heraus und spielt eine große Kadenz.

Die Partitur des sechsten und letzten *Brandenburgischen Konzerts* wurde für zwei Viole da gamba, zwei Bratschen, Cello und Cembalo-Continuo geschrieben; möglicherweise machte diese sparsame Instrumentierung es besonders geeignet für die kleine Gruppe von Musikern, die Fürst Leopold von Köthen bei seinen Besuchen in Karlsbad mitzunehmen pflegte.

Insgesamt erforderte die ungewöhnliche Besetzung der Konzerte für den Markgrafen von Brandenburg eine üppige musikalische Ausstattung, wenn er sie angemessen vortragen lassen wollte; er muß etwas überrascht über ein derartiges Geschenk gewesen sein. Der freudige Überschwang der *Brandenburgischen Konzerte* scheint jedoch das glückliche, zufriedene Leben widerzuspiegeln, das

Das Bach-Orchester beim Spiel im Alten Rathaus von Leipzig.

Bach bis zum Tode seiner ersten Frau und zur Vermählung seines Dienstherrn mit einer Frau, die der Musik nur wenig abgewann, in Köthen führte.

Die Violinkonzerte und das Konzert für zwei Violinen (»Doppelkonzert«)

Den Großteil seiner Konzerte schrieb Bach in seinen Köthener Jahren. Vermutlich waren die Solopartien in den Violinkonzerten in a-Moll und E-Dur für Joseph Spiess, den Leiter des dortigen Hoforchesters, bestimmt, der dann bei dem Doppelkonzert (in d-Moll) wohl von Martin Friedrich Marcus begleitet wurde. Beide Männer hatte Fürst Leopold aus dem aufgelösten Berliner Orchester rekrutiert.

In dem wunderschönen *Konzert für zwei Violinen in d-Moll* entspinnt sich ein Duett, das durch einander überlappende und imitierende Melodieglieder gekennzeichnet ist. Alle drei Violinkonzerte sind wie bei Vivaldi in drei Sätzen aufgebaut, einer Form, die bei Bach aber neue Frische und Lebhaftigkeit erhält.

Das Wohltemperierte Clavier

Das erste Buch des *Wohltemperierten Claviers* stammt, wie wir bereits wissen, aus dem Jahr 1722 und besteht aus einer Folge von 24 Präludien und Fugen, eine in jeder Dur- und Molltonart. Ihr Titel deutet schon an, daß es möglich war, sie hintereinander zu spielen, ohne das Instrument zwischendurch neu zu stimmen. Daß sie für alle 24 Tonarten komponiert wurden, hatte in der Tastenmusik durchaus Tradition, entsprach aber auch Bachs Vorliebe für mathematische Symmetrie und Vollständigkeit. Heute werden sie oft als kompletter Zyklus vorgetragen, obgleich zweifelhaft ist, daß dies zu Bachs Zeiten üblich war.

Ein zweites Buch mit 24 Präludien und Fugen schrieb Bach 1742; allerdings stammt der Titel *Wohltemperiertes Clavier Teil 2* nicht von ihm. Vielleicht sollte die Reihe nur eine Zusammenfassung verschiedener Stücke sein, die er seit dem ersten Band komponiert hatte, denn sie scheint ein Teil der »Aufräumungs«-Arbeiten in Bachs späteren Jahren gewesen zu sein. Die *48*, wie die beiden Bücher häufig genannt werden, erfordern vom Vortragenden große Konzentration: als junger Klavierspieler fand Beethoven sie faszinierend.

Clavierbüchlein für Anna Magdalena

Im Vergleich zu vielen bisher vorgestellten Werken sind diese beiden kleinen Bücher miniaturhafte und entzückend private Sammlungen von Tastenmusik, die Bach seiner jungen zweiten Frau Anna Magdalena widmete. Seine Zuneigung zu ihr kommt darin deutlich zum Ausdruck.

Die Stücke im ersten Büchlein sind entweder Eigenkompositionen oder Neubearbeitungen von Werken anderer Komponisten. Dazu gehören kurze Menuette, Gavotten und sonstige Tänze sowie Chorsätze und Arien (die zweifellos von seiner begabten Ehefrau gesungen werden sollten).

Das zweite Buch für Anna Magdalena enthält die fünf sogenannten *Französischen Suiten*, Musik für Tasteninstrumente, die für Bach relativ einfach anmutet. Trotzdem sind sie durchaus interessant und werden auch heute noch gespielt, weil sie sowohl Musikleh-

Martha Argerich, eine ausgezeichnete moderne Bach-Interpretin.

rern als auch ihren Schülern als nützliches und reizvolles Unterrichtsmaterial dienen. Ebenfalls im zweiten *Clavierbüchlein* zu finden ist die wunderschöne Arie »Bist du bei mir«, die später als Thema der *Goldberg-Variationen* verwendet werden sollte. Auch Bachs ältere Söhne steuerten einige Kompositionen bei.

Suite Nr. 2 in h-Moll

Diese Suite, von Bachs vier Orchestersuiten vielleicht die bekannteste, ist im französischen Stil geschrieben und enthält eine prächtige, fesselnde Solopartie für Flöte. (Die Flöte war als Soloinstrument am französischen Hofe in Versailles sehr in Mode, ebenso bei dem an Frankreich orientierten Friedrich d. Gr.) Bach betrachtete die vier Suiten nicht als zusammengehörige Gruppe, aber sie sind alle stark von französischer Musik beeinflußt und beginnen mit einer französischen Ouvertüre, gefolgt von einigen leichten Sätzen, die an Tänze wie Gavotten, Menuette, Bourréen und so weiter angelehnt sind. Die zweite Suite gipfelt in einer sehr schnellen *Badinerie*, einem beliebten Paradestück für Flötisten. Die dritte Suite in D-Dur und für volles Orchester enthält ebenfalls einen Satz, der als eigenständiges Stück berühmt wurde: die sogenannte »Air«, die später für das Violinspiel auf der G-Saite neu bearbeitet wurde.

Die Passionen

Die Tradition, in der Karwoche die Leidensgeschichte Christi vorzutragen, geht bis ins Mittelalter zurück. Nach der Reformation begannen die protestantischen Kirchen, sie dramatischer auszugestalten, als es die alten Sprechgesänge gewesen waren. Anscheinend schrieb Bach fünf Passionen, von denen uns jedoch nur die *Johannes-* und die *Matthäuspassion* erhalten sind.

Mit Sicherheit war eine *Markuspassion* dabei, die 1731 in Leipzig aufgeführt wurde; die anderen könnten eine *Lukaspassion* und eine *Matthäuspassion* für nur einen Chor gewesen sein.

Die *Johannespassion* war das erste Mal Ostern 1724 in der Leipziger Nikolaikirche zu hören und wurde im nächsten Jahr in der Thomaskirche vorgetragen.

Die *Matthäuspassion* könnte 1727 Premiere gehabt haben, und wir wissen, daß sie 1736 und in den 1740ern erneut aufgeführt wurde.

Beide Passionen sind im Aufbau ähnlich. Einzelsänger stellen den Evangelisten, Jesus und andere Gestalten dar, etwa Petrus und Pilatus, ein Chor repräsentiert die Volksmenge. Sie erzählen die Geschichte von der Verhaftung, Verurteilung, Kreuzigung und Bestattung Christi, wobei hauptsächlich auf die entsprechenden Bibeltexte zurückgegriffen wird. Diese Teile der Passionen sind

Der Monteverdi-Chor bei einem Konzert mit den English Baroque Soloists unter der Leitung von John Elliot Gardiner.

Unten: *Das Leipziger Gewandhausorchester mit dem Thomanerchor bei einem Bach-Konzert in Leipzig.*

schlicht und dramatisch; sie sollen die Handlung lebhaft vorantreiben.

Daneben enthalten die Passionen eine Anzahl lyrischer Arien, die wesentlich besinnlicher und inniger sind und die Bedeutung der Leidensgeschichte für den einzelnen Gläubigen betonen. Damit schlagen sie einen kreativen Bogen zwischen den historischen Ereignissen in Jerusalem und der Verantwortung des Menschen in seiner Zeit.

Die Passionsmusik war natürlich nicht für Zuhörer in einem Konzertsaal geschrieben; wir müssen uns daran erinnern, daß sie Teil der Liturgie war und am höchsten Feiertag des christlichen Kalenders, am Karfreitag, aufgeführt wurde. Deshalb gab es darin auch Stellen, bei denen die Gemeinde mitsang. Bach wählte zu diesem Zweck eine Reihe von Chorälen, bekannte protestantische Kirchenlieder, die er neu vertonte; der *Passionschoral* kam im Verlauf der *Matthäuspassion* fünfmal vor.

Außer den erzählenden Teilen, den Arien und diesen Chorälen eröffnen und beenden beide Passionen gewaltige Chöre als Einstimmung auf das Kommende beziehungsweise krönender Abschluß. Der Eröffnungschor der *Matthäuspassion* ist besonders beeindrukkend.

Wie bereits erwähnt, wird oft behauptet, die *Johannespassion* sei theatralischer als die *Matthäuspassion*, aber es gibt auch in der *Matthäuspassion* Passagen von äußerster Dramatik. Daß sie länger ist als die *Johannespassion*, liegt natürlich teilweise am längeren Text der Leidensgeschichte im Matthäusevangelium. Für viele Musikliebhaber, und nicht nur für gläubige Christen, ist die *Matthäuspassion* Bachs eindrucksvollstes und tiefsinnigstes Werk.

Die Goldberg-Variationen

Ihren jetzigen Titel erhielt die *Arie mit Variationen*, nachdem durch Bachs Biographen Forkel ihre Entstehungsgeschichte bekanntgeworden war. Die Variationen sollen vom Grafen von Keyserlingk in Dresden für einen gewissen Johann Gottlieb Goldberg, der bei ihm Cembalist war, in Auftrag gegeben worden sein, um die Schlaflosigkeit seines Dienstherrn zu mildern.

Diese Version ist nicht ganz glaubwürdig, denn es sind Stücke für einen Virtuosen, die wohl eher jemanden wachrütteln als ihn in den Schlaf wiegen.

Das Thema der *Goldberg-Variationen* ist dem zweiten *Clavierbüchlein für Anna Magdalena* entnommen und vielleicht gar nicht von Bach selbst, aber bei den 30 Variationen zeigt er sich von seiner brillantesten, originellsten Seite, als Vorläufer von Beethoven in der Beherrschung dieser musikalischen Form. Jedes dritte Stück ist ein Kanon; andere Teile ähneln stilistisch Liedern oder Tänzen.

Die Messe in h-Moll

Bach komponierte vier kurze Messen, deren Datierung und Anlaß, da er Protestant war, den Gelehrten viel Stoff für Debatten liefert. Die *Messe in h-Moll* unterscheidet sich von diesen vieren allein schon durch ihren Umfang, durch ihren Text (die kurzen Messen scheinen nur aus einem Kyrie und einem Gloria bestanden zu haben) und dadurch, daß sie offenbar nicht so sehr für eine spezielle Aufführung gedacht war, sondern eher als Zusammenfassung von Stücken, die dem Text angemessen waren. Tatsächlich behaupten einige Autoren, Bach hätte die einzelnen Sätze modellhaft zu einer Messe angeordnet – anstatt sie als zum Vortrag bestimmtes Gesamtwerk zu konzipieren.

Das Kyrie und das Gloria hatte Bach bereits 1733 an den sächsischen Kurfürsten gesandt, als er auf den Titel des Hofkomponisten spekulierte. Für die elf Sätze, aus denen sie bestanden, griff er auf Teile älterer Kantaten und anderer Choralwerke zurück, die er jedoch großzügiger und in einem italienischen Stil anlegte, der dem katholischen Hof in Dresden gefallen würde. Er schrieb sie für einen fünfstimmigen Chor und ein Orchester um, zu dem auch Pauken und Trompeten gehörten. Für das Credo dieser großartigen Messe bediente er sich wiederum früherer Kantaten, während, wie schon erwähnt, das Sanctus eine Fassung für sechsstimmigen Chor war, die er ursprünglich für Weihnachten 1724 komponiert hatte.

Insgesamt besteht das umfangreiche Werk aus 24 Sätzen, aber nur sechs waren vermutlich speziell dafür geschrieben. Der Rest sind ältere Stücke, die Bach neu bearbeitete, veränderte oder erweiterte. Dennoch kann das Ergebnis als meisterliche Leistung gelten. Bemerkenswert an der *Messe in h-Moll* ist außerdem, daß sie offenbar keinen spezifischen Platz innerhalb der Liturgie einnehmen sollte, da sie, abgesehen von allem anderen, dafür viel zu lang ist. Sie enthält ebenso erkennbare Bezüge zu »geistlicher« Musik wie deutliche Anklänge an Tänze oder lebhafte Konzertmusik.

DAS STREBEN NACH AUTHENTIZITÄT

Die jüngere Bach-Forschung und die intensive Beschäftigung mit der Musik des 18. Jahrhunderts im allgemeinen haben neues Licht auf die Art der Musikausübung in der damaligen Zeit geworfen und zu dem Versuch geführt, ihr in der heutigen Praxis möglichst nahe zu kommen. Wichtige Faktoren sind dabei, wie man die Rhythmusangaben interpretiert, die in den Originalpartituren verzeichneten »Verzierungen« spielt, ein Soloinstrument begleitet usw. Gleichzeitig wurden sehr ausführlich Beschaffenheit und Konstruktion barocker Musikinstrumente erforscht sowie die spezifischen Spieltechniken, die sie erfordern. Man hat sie zum Teil liebevoll restauriert und sorgfältig exakte Repliken nachgebaut.

Einer der Pioniere in dieser Hinsicht war Thurston Dart, der die Originalmanuskripte und Musikhandbücher des 18. Jahrhunderts studierte, um mehr über die Stile und Techniken von Barockinstrumentalisten zu erfahren. Dart, selbst bewandert an Tasteninstrumenten, achtete darauf, kein wissenschaftlicher Pedant zu werden, sondern Spielvorlagen zu erarbeiten, die für zeitgenössische Spieler nutzbar wären. Er veröffentlichte eine Anzahl von Bachs Werken, zum Beispiel eine Fassung der *Brandenburgischen Konzerte*, die Bach geschrieben hatte, bevor er überhaupt daran dachte, sie dem Markgrafen von Brandenburg zu schicken, eine für den Kenner wichtige Arbeit.

Ensembles wie das Collegium Aureum wiederum wirkten bahnbrechend bei der Rückkehr zum authentischen Musikgenuß, indem sie »Original«-Instrumente und -Interpretationstechniken verwandten und damit oft eine neue Klangreinheit und ein verändertes Tempo erzielten, das sich besonders durch rhythmische Lebhaftigkeit auszeichnet. Ebenfalls an einer Wiederbelebung ursprünglicher Vor-

Links: *Der englische Organist Peter Hurford hat sämtliche Orgelwerke Bachs auf Platte aufgenommen.*

tragsstile arbeiten das English Concert, die Akademie für Alte Musik und der Wiener Concentus Musicus. Weniger geglückte Aufführungen dieser Art klingen leicht zu akademisch und kalt und variieren in Dynamik und Ausdruck nicht genügend.

Manche Musikliebhaber finden den Klang von barocken Saiteninstrumenten steif – oder sogar hart –, aber bei wirklich guten Spielern trifft diese Kritik nicht zu. Ebenso können sich Barocktrompeten in den oberen Tonlagen gekünstelt anhören. Die leisere Barockflöte oder Blockflöte wird auch bei authentisch vorgetragener Barockmusik meistens durch die moderne Flöte mit ihrer Vielzahl von Klappen ersetzt.

Trevor Pinnock, Dirigent des English Concert und auf Tasteninstrumenten bewandert, kombiniert in seinen besten Konzerten eine große Einfühlsamkeit in die Originalpartitur des jeweiligen Werks mit einer exzellenten musikalischen Umsetzung von seiten des Ensembles. Ebenfalls erfolgreich vertreten wird die authentische Spielweise durch das Linde-Konsortium, geleitet von Hans-Martin Linde, der die Solopartien auf der Flöte gelegentlich selbst spielt. Sicherlich stimmt es nicht, daß nach Echtheit strebenden Aufführungen Ausdruckskraft und echtes musikalisches Gefühl fehlen müssen: der holländische Cembalist (und Musikwissenschaftler) Gustav Leonhardt und der Barockviolinist Sigiswald Kujiken haben Bachs Sonaten für Cembalo und Violine sehr klar und mit bemerkenswerter Feinfühligkeit gespielt.

Die Akademie von St. Martin-in-the-Fields, gegründet von Sir Neville Marriner, arbeitet mit Instrumenten und Musikstilen, die denjenigen des 18. Jahrhunderts angenähert, aber nicht »echt« sind. Wie andere Orchesterleiter auch verwendet Marriner häufig musikalische Vorlagen, die er selbst erarbeitet hat; Werke wie etwa *Das Musikalische Opfer* verlangen bestimmte Entscheidungen über die Reihen-

folge, in der die einzelnen Teile gespielt werden. Das English Chamber Orchestra unter der Leitung von Raymond Leppard, ein anderes hervorragendes kleines Ensemble, bedient sich ebenfalls moderner Instrumente, bringt aber die neuesten Ergebnisse der Forschung in seine Aufführungen ein.

Otto Klemperer, der bei seinen faszinierenden Bach-Interpretationen alle Mittel eines modernen Symphonieorchesters einsetzte.

MODERNE INTERPRETATIONEN

Nicht alle heutigen Aufführungen finden auf den dafür gedachten Instrumenten statt. Einige zeitgenössische Pianisten beginnen, Bachs Cembalo-Werke für sich zu entdecken. Der junge Ungar Andras Schiff zum Beispiel hörte als Kind eine Platte des Amerikaners Glenn Gould, der Bach auf dem Klavier spielte, und war von dem Moment an überzeugt, dies sei eine legitime Form der Bach-Interpretation.

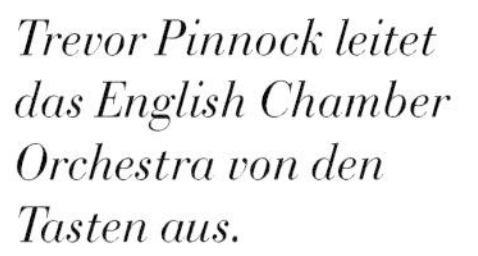

Trevor Pinnock leitet das English Chamber Orchestra von den Tasten aus.

Links: *Die deutsche Violinistin Anne-Sophie Mutter, die zu den besten jüngeren Bach-Interpreten gehört.*

Glenn Gould selbst hatte sich darauf festgelegt, Bachs Stücke für Cembalo auf dem Klavier vorzutragen, und ist für seine charakteristischen Interpretationen berühmt geworden. Es gelingt ihm, die miteinander verflochtenen Teile der Bach'schen Fugen mit großer Klarheit und Intelligenz herauszuarbeiten, aber viele Hörer finden bei seinen Aufnahmen das Stöhnen und Mitsummen des Künstlers störend. Schiff, Martha Argerich und der Russe Andrej Gawrilow interpretieren Bach alle auf dem Piano, wobei Schiff sorgfältig auf barocken Stil achtet.

Viele andere zeitgenössische Solisten spielen Bach auf modernen Instrumenten; John Williams zum Beispiel hat einiges von Bachs Musik für Laute ohne Begleitung auf der Gitarre aufgenommen, während Yo Yo Ma seine Sonaten für Viola da gamba auf dem Cello vorträgt. Auch die deutsche Violinistin Anne-

Yo Yo Ma, der Bachs für Viola da gamba geschriebene Suiten auf dem Cello vorträgt.

Sophie Mutter spielt keine Barockgeige und verleiht Bachs Konzerten eine Wärme, die manche Puristen unangebracht finden. Dennoch ist sie heute eine der besten Interpretinnen des Bach'schen Violin-Œuvres.

Bei den Organisten ragt seit einigen Jahren vielleicht vor allem der Engländer Peter Hurford heraus, der sämtliche Orgelwerke Bachs aufgenommen hat. Im Gegensatz zu den Deutschen, deren Orgelspiel traditionell recht nüchtern und manchmal ohne große Spannung ist, weil sie auf eine Klarheit abzielen, bei der die komplexen Stränge der Fugen zu hören sind, besitzt Hurford eine Frische, die Farbe und Emotionalität der Musik fast orchestral hervortreten läßt. Er schafft es, Großartigkeit mit peinlich genauer Beachtung von Details zu verbinden und spielt mit Ausdruckskraft und Phantasie. Seine Aufnahmen entstanden auf verschiedenen Orgeln in mehreren Ländern, jede nach ihrem spezifischen Klang ausgewählt. Auch Lionel Rogg hat vieles von Bachs Orgelmusik aufgenommen, wobei ihn eher Klarheit und Werktreue als eigene Ausstrahlung kennzeichnen.

Ein ähnlich umfangreiches Unterfangen wie das Hurfords bezieht sich auf Bachs Kantaten. Anfang der siebziger Jahre wurde mit einem Projekt begonnen, in dem sie, so authentisch klingend wie möglich, als vollständige Reihe aufgenommen werden sollen. Man setzt dabei Originalinstrumente oder exakte Nachbauten ein, verwendet Knaben- anstelle von Frauenstimmen sowohl im Chor wie auch als Solisten und beschränkt Chöre und Ensembles auf die Größe, die Bach selbst vermutlich zur Verfügung hatte. Ein derartig rigoroses Bemühen um Unverfälschtheit kann leicht etwas Pedantisches und Gezwungenes bekommen und dann auch so klingen, aber diese Aufnahmen des Wiener Concentus Musicus mit Gustav Leonhardt und Nikolaus Harnoncourt geben zumindest einige wichtige Anhaltspunkte über Bachs Schaffen.

Im völligen Kontrast hierzu steht Otto Klemperers prachtvolle Aufnahme der *Matthäuspassion* mit dem Philharmonischen Chor und Orchester. Von »Authentizität« im oben erörterten Sinne ist sie weit entfernt, da es sich um ein konventionelles Symphonieorchester des 20. Jahrhunderts handelt, aber sie zeichnet sich durch eine intensive Hingabe des Dirigenten aus, die von den hervorragenden Solisten, darunter Peter Pears, Dietrich Fischer-Dieskau und Elisabeth Schwarzkopf, voll aufgegriffen wird.

AUSSENSEITER

Ein berühmter Arrangeur Bach'scher Musik war Leopold Stokowski, der zahlreiche Werke für das moderne Symphonieorchester bearbeitete und diese Neubearbeitungen mit einigen der großen amerikanischen Orchester aufnahm. Das Ergebnis ist bombastisch und überladen, höchst unterhaltsam, aber Gift für den Puristen.

Zu den gewagtesten – und erfolgreichsten – Bach-Interpreten der letzten Jahre gehören Walter Carlos und Benjamin Folkman, die einige von Bachs Werken für den Synthesizer bearbeitet haben. Für die lebhaften Rhythmen von Bach eignet sich der Synthesizer gut. Mit zu den spannendsten – und bekanntesten – dieser Stücke zählen die Neubearbeitungen der *Brandenburgischen Konzerte* –, beliebt bei Radiosendern als Erkennungsmelodien! Wie Stokowskis Orchesterarrangements ist auch dies keine Musik für den Puristen; eine Platte jedoch mit einer Auswahl dieser Stücke verkaufte sich in den USA hervorragend und machte eine neue Generation mit Bach vertraut.

Leopold Stokowski, dessen Orchesterarrangements Bach-scher Musik den Puristen schockieren müssen.

REGISTER

BILDNACHWEIS

Archiv für Kunst und Geschichte 6, 8–9, 12, 15 oben, 15 unten, 24–25, 26, 27, 34, 36–37, 39, 47, 48–49, 53, 54, 55 oben, 62, 65, 66, 67 rechts, 70–71, 72, 74, 77, 78; Clive Barda 82, 82–83, 83, 86, 87 oben, 88, 90–91, 91 unten, 92, 93; Bavaria Bildagentur/Bavaria 11; Berolina 50, 80, 84–85, 87 unten; Bildarchiv Preußischer Kulturbesitz 9 oben, 42–43, 45, 58–59, 63 oben, 74–75; British Library 32–33; Bomann Museum 16; Deutsche Staatsbibliothek 7 unten, 25, 52, 76; EMI 91 oben; E t Archive 63 unten; Mary Evans Picture Library 31, 38, 48, 69, 81 unten; Hulton-Deutsch Collection 40, 41; Kunstsammlungen zu Weimar 28, 29, 35; Kupferstichkabinett Dresden 37; Josef Makovec 13; Mansell Collection 17, 73, 75; Mansell-Alinari 9 unten; Museum für Hamburgische Geschichte 14, 44–45; Music Library of Yale University 81 oben; National Portrait Gallery 42; Nationale Forschungs- und Gedenkstätten Johann Sebastian Bach der DDR 56, 57, 61, 68–69; Royal College of Music 59; Sächsische Landesbibliothek/Deutsche Fotothek 55 unten, 67 links; Ullstein 10 oben; VEB Deutscher Verlag für Musik Leipzig / Werner Reinhold 18–19, 19, 22, 23, 30, 46, 51, 79; ZEFA/H Lütticke 20, Strachil 7 oben, 10 unten.